スライム倒して300年、
知らないうちに
レベルMAXになってました
She continued destroy slime for 300 years
16
Morita Kisetsu
森田季節
illust. 紅緒

うちと来い
お笑いで天下とるで!!
また陛下はノリで動いて…

魔王
ペコラ
上級魔族
ベルゼブブ

エルフの調薬師
ハルカラ
幽霊少女
ロザリー

神様伝説《かみさまでんせつ》
Kamisama Densetsu
II

勇者
アズサ

Contents

Story by Morita Kisetsu Illustration by Benio

She continued destroy slime for 300 years

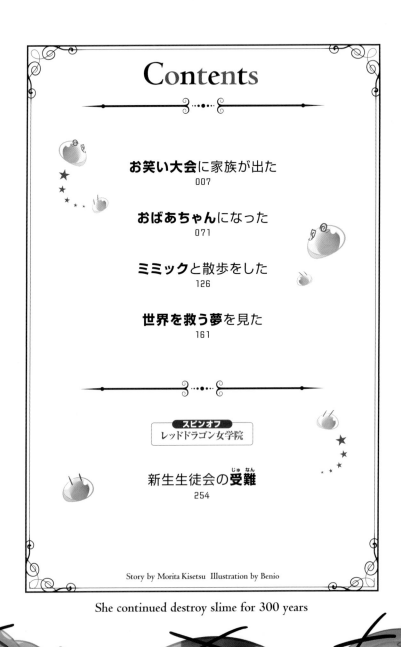

スライム倒して300年、知らないうちにレベルMAXになってました16

Morita Kisetsu
森田季節
illust. 紅緒

アズサ・アイザワ（相沢 梓）

主人公。一般的に「高原の魔女」の名前で知られている。
17歳の見た目の不老不死の魔女として転生してきた女の子（？）。
いつの間にか世界最強になっていて大変な目に遭いもしたが、
そのおかげで家族が出来てご満悦《まんえつ》。

継続はパワーなり。
継続できることしかしません！

ごきげんようお姉さま。
さぁ、拳で語らいましょう！

ライカ

レッドドラゴンの娘で、アズサの弟子。最強の高みを目指し、
毎日コツコツ努力する頑張り屋の良い子。ゴスロリやメイド服といった
ふりふりな服がとても似合う（本人は恥ずかしがる）。
本書掲載の外伝「レッドドラゴン女学院」の主人公。

ファルファ&シャルシャ

スライムの魂が集まって生まれた精霊の姉妹。
姉のファルファは自分の気持ちに
正直で屈託《くったく》がない子。
妹のシャルシャは心づかいが細やかで
気配りが出来る子。
二人ともママであるアズサが大好き。

ママー、ママー！　ママ大好き！
……体は重くとも、心は軽くあるべき

さぁ、今日は何を食べましょうかね♪

ハルカラ

エルフの娘で、アズサの弟子。
キノコの知識を活かし会社を経営する
立派な社長さんなのだが、高原の家では、
ところ構わず〝やらかし〟てしまう
一家の残念担当に過ぎない。

ベルゼブブ

ハエの王と呼ばれる上級魔族で、魔族の農相。
ファルファとシャルシャを
まるで姪っ子かのように愛でており、
魔界と高原の家を頻繁に行き来している。
アズサの頼れる「お姉ちゃん」。

わらわの名はベルゼブブ！魔族の国の農相じゃ!!

フラットルテ

ブルードラゴンの娘で、アズサに服従している。レッドドラゴンのライカとは、同じドラゴン族なので何かと張り合うが、根は楽天的で元気な女の子。ライカと違って人型の時も尻尾がある。

レッドドラゴンと馴れ合う気はないのだ！

アタシ、姐《ねえ》さんにずっとついていきます！

ロザリー

高原の家に住む幽霊少女。幽霊である自分を遠ざけず、手を差し伸べてくれたアズサに心酔している。壁を抜けられるが人は触れない。人に憑依する事も可能。

サンドラ

マンドラゴラの女の子。三百年育った末に意志を持ち動くようになった存在。れっきとした植物で、高原の家の家庭菜園に住んでいる。意地っ張りで強がっている事も多いが、寂しがりな一面も。

私は庭に生えてるだけだからね！　がお～！

シローナ

ファルファ&シャルシャの後に生まれたスライムの精霊。警戒心が強く、アズサを義理の母親扱いしてあまり懐かない。既に一流の冒険者として活躍しているが、白色を偏愛するという奇癖を持つ。

義理のお母様、
世界は真っ白であるべきです!

クールな雰囲気の
魔女のお姉様、最高ですぅ

ペコラ（プロヴァト・ペコラ・アリエース）

魔族の国の王。その権力や影響力を使ってアズサや周りの配下を振り回すのが大好きな、小悪魔的気質を備えた女の子。実は「自分より強い者に従属したい」というマゾ気質を備えており、アズサに心酔している。

メガーメガ神

アズサをこの世界に転生させた張本人。この世界を体現するような、朗らかで人当たりがよく、そしていい加減な性格の女神様。女性に甘く、ついつい甘い裁定をしてしまう。

アズサさんのお力を借りたいな～と

ムーム・ムーム

略称はムー。悪霊たちの国「死者の王国」の
王にして、滅亡した古代文明の王でもある。
ノリの悪い民（悪霊）に愛想を尽かして
引きこもっていたものの、アズサとロザリーと
触れあったことで社会復帰（?）した。
ノリツッコミ好きな関西人的性格。

おもろかったらなんでもアリなんや
おもろい奴が最強やからな

どうせ生きてるなら勝ちに
こだわっていきたいじゃないですか

エノ

アズサを先輩と慕う、不老不死の「洞窟の魔女」。
優れた調薬技術を持つものの、人に努力を
見られたくないという性格のため伸び悩んでいたが、
アズサに諭され改心。活躍中だが
同業であるハルカラと時々衝突している。

ブッスラー

体術を極め、人化した武道家スライム。
「ブッスラー流スライム拳」を極め
最強格闘技を完成させたいと考えているが、
お金大好きという俗っぽい面も。
ベルゼブブに弟子入りし修行中。

お金を貯めるのが趣味なんです

お笑い大会に家族が出た

She continued destroy slime for 300 years

ペコラと行動を共にしたせいで、また魔法配信を見るようになった。

とくに最近では、夕飯の時間にファルファとシャルシャがじっと魔法配信を視聴している。

『はーい。というわけで、いろいろ食べてきましたが、人間の国で激辛と言われてる料理も魔族にとっては、たいしたことなかったですね～。やっぱり、魔族は辛《から》いものが得意なようです！』

真《ま》っ赤《か》な料理を前にしてペコラがしゃべっている。そんな映像が壁のあたりに流れていた。

それをファルファとシャルシャは興味深そうに眺めている。

たまに「ほほう」とか「へ～」とかいった声が聞こえるぐらいで、あとは無言。

よくもあれだけ集中できるものだと思う。

さらに食事をとらないサンドラまで家に入ってきて、映像を眺めている。


ううむ……。行儀が悪いと言うべきだろうか？


でも、私も子供の時はアニメを見ながら、ごはんを食べてたんだよね。似たようなものかな。

魔法配信を作ってる側だって、視聴者がじっと見たくなるものにしようと努力しているはずだし、この場合はその努力がすごいと讃《たた》えるべきなのかもしれない。

ただ、私が子供の時と違うことといえば――娘のスプーンを持つ手が止まっていることだ。

食べてる時にテレビが流れているということは、そんなに珍しくはなかった。飲食店でもランチ時はテレビやラジオがついていたりした。

しかし、そっちに集中しすぎて、食事ができないなんてことはなかった。

つまり、音や映像がある中で、食事を続けることは難しいことでもなんでもなくて、同時代の大半の人が実行できたスキルだったのだ。

一方で、うちの娘たちにとったら、五十年以上生きてきて、食事中に映像が流れることは長らくなかった。

そう、魔法配信を見つつ、食べるという技術がないのだ。

日本でも五十歳を過ぎてから食卓にテレビがやってきた人なら、ながらで食事をすることはできなかったかもしれない。

――と考えたいところだけど、ライカとフラットルテは映像ごときでは食事への集中力を切らすことはないらしく、しっかりスプーンを動かし、パンをかじっている。

じゃあ、個人差みたいなものなのかな?

とにかく、ごはんを食べる手がまったく止まってるというのはよくない。

問題はどんなふうに、それを伝えるかなんだけど。

むむむ。

どうしたものか……。

行儀が悪いという言い方はダメだな。

この世界では魔法配信なんてずっとなかったわけだから、それを食事中に見ることがダメというマナーもない。

魔法配信を見てもいいけど、ごはんの時間でもあるんだから、ごはんも食べようという言い方でいくか。

そんなことを考えていたら、

「はーい。ファルファちゃんもシャルシャちゃんもスプーンを動かさないと、料理が冷めちゃいますよ～。食べながら見ましょうね」

ハルカラがやんわりと指摘してくれた。

「はーい、ハルカラのお姉さん」「申し訳ない。映像に没入してしまっていた」

おお！　ちゃんと二人も聞いてくれている。

もっと気楽に指摘すればよかったのか。教育という意識が私の中で強すぎたのかも。

「ありがとうね、ハルカラ」

「いえいえ。ながらで食事するのって慣れてないとやりづらいですからね～」

「あれ、ハルカラもこういう経験があるの？」

この世界にはテレビもラジオもなかったはずだけど。

「社長をやってると、報告を聞きながら、食事をとらないといけないこともザラにありましたから〜。高原の家に来る前から何度も経験してます」

「そういうことか！」

大会社の社長がサンドウィッチをかじりながら、パソコンを見てるみたいな感じなのだろうか。

高い店で会食することもあるだろうけど、社長にとったらあれも仕事の一部で、普段はサンドウィッチかじりながらパソコン見てたりするんだろう。

ハルカラも似たようなもので、体面なんて気にせずにごはん食べながら話を聞くこともあるはずだ。むしろ、威張《いば》ってるハルカラを想像しづらい。

ファルファとシャルシャもまだ落ち着かない感じだったが、スプーンをまた動かしだしたし、これで食事中に魔法配信を流す問題も解決するだろう。


あれ。

そういえば、もう激辛料理を食べ終えたはずだし、ペコラの魔法配信も終わりになるはずなんだけど。

ペコラはああだこうだとアフタートークをやっていた。

『料理の準備が案外大変だったんですよ〜。ワイヴァーンで運んできたんですけど、シチュー料理がけっこうこぼれちゃって〜』

こういうのをだらだらやっても許されるのが魔法配信の強みかもしれない。六十分予定のものを七十五分やってもいいからね。

『あさっては魔法配信を見てない大蔵大臣にドッキリを仕掛けたいと思いま~す♪　それと三日後は雑談配信をやりますね♪　あ、そうそう、最後に、魔族の土地で行われるイベントの告知もしちゃいましょうかね』

またイベントか。よくやるよな、イベント。

『今度、最強のお笑いを決めるお笑い決定戦をやります』

お、お笑い……？

『といっても、プロの芸人の方じゃなくても誰《だれ》でも参加可能です。各地の予選を勝ち抜いて、本戦に残った方々はヴァンゼルド城下町の劇場で最強を競《きそ》っていただきます！』

魔法配信の隅っこで、例題みたいなお笑いの映像が流れる。

魔族二人が何か話していた。

『お前の家にいったら、恐ろしい顔のモンスターがいてビビったよ。あれは番犬か』『ああ、それはうちのワイフだよ』『おいおい、俺《おれ》だってお前のワイフの顔ぐらい覚えてるぜ。しょうもないこと言うな』『すまんな。自分のワイフを悪く言いすぎたぜ』『お前のワイフほどは恐ろしくなかったから、あのモンスターは何だったんだって聞いてんだよ』『ハッハハッハッハ』
なんか、古典的なネタに聞こえる……。
『魔族でなくても参加できますよ～。むしろ人間の国のお笑いなんかも発見できたらいいなと思っていますし、どしどし参加してくださいね～♪　以上、魔王ペコラの配信でした～。次回もお楽しみに～♪』
映像はそれで終わった。

そりゃ、文化が違ってもお笑いという概念はあるか。私のいた世界でもギリシャ喜劇なんかもあったはずだしね。余裕で二千年以上の歴史があったわけだから、そういうものはどこにでもあるんだろう。


だが、他人事《ひとごと》のようにはその告知を受け取っていない子がいた。

「これは面白《おもしろ》そうだね～！」

「笑いとは何か、少なからぬ興味がある」

まさかの娘たち二人がやる気⁉

「シャルシャ、やろう！　二人でなら上を目指《めざ》せるよ！」

「姉さん、力をお借りしたい」

えっ？　なんでそんなに自信満々なの？

「双子《ふたご》ネタはほかの人たちにはできないからね」

「姉さんの言うとおり。アドバンテージがあることは間違いない」

まあまあ分析的な判断！

「それにさ」

「うん。心得ている」

なぜか二人は私のほうを見た。


「ママにツッコミの才能があるもんね！」


「ご教示いただきたい。台本もお願いしたい」

協力を求められている！

「台本？　そんなの素人《しろうと》の私が書けるわけないじゃん。二人が納得いくものなんて書けないよ……」

私の前世は働きすぎて死んだサラリーマンだ。

趣味が劇場通いで、若手お笑い芸人に詳《くわ》しかったわけでもない。

ラジオの投稿コーナーや、ネット大喜利《おおぎり》にネタを送ったこともない。

つまり、お笑いについての関心も熱意もない一般人である。

とてもじゃないが、やれるとは思えない。

「ママ、謙遜《けんそん》しないで。いつもママは優れたツッコミをしてるよ」

「あのキレはなかなか真似《まね》できない。鋼《はがね》の剣のように鋭い」

こんな褒《ほ》められ方は想定してなかった。

できれば、もっと母親らしい褒められ方をしたかったな……。

「そうよ、アズサ。あなたが力を貸せば、ファルファとシャルシャの二人だけで挑むより、いい戦いができるはずよ」

サンドラもいけると感じているらしい。

「いや、だから、私は素人なんだから――」

「誰だって最初は素人じゃない！　それに素人でも参加ＯＫなのだから問題はないわ！」

なんかアツい正論で返された！

「それに、ファルファとシャルシャも親と一緒に上に行きたいと思ってるはずよ。いわば、これは親子で臨む戦いなわけ」

ファルファとシャルシャの二人が私に期待の眼差《まなざ》しを向けてきた。


え、えええええ？　本当にやるの？

まあ、私がお笑いをステージで披露するわけじゃないから、それよりハードルは低いけど……。

「ママ、ダメ元でいいからやってみよう！」

「シャルシャも母さんのネタがどれだけ通用するか試してみたい。興味がある」

うわあ、ここまで言われると拒否もできない。

「わかった……。私は台本を書けばいいんだね？　先に断っておくけど、やったこともないからつまんなくても責任は持てないよ……？」

大半の人は人生でお笑いの台本を書いたことはないと思う。

娘二人はこくこくうなずいている。

しょうがない。失敗しても大問題になるようなことじゃないし、やるか……。

「そんなに私ってツッコミを入れてたっけ……？　やってないよね、ライカ？」

ライカは半笑いで私の顔を見たあと――

さっと目をそらした。

「ちょっと！　その反応はどういうこと!?　問い詰めさせて！」

明らかに含みがあるじゃん！

「アズサ様……もちろんアズサ様はお笑いの本職の方ではありません。ですから、アズサ様が考えたものがどれだけ通用するのかは謎《なぞ》ですし、まして魔族の方のお笑いの感性とはズレているおそれもあります。ですが――」

やけに長い前置きみたいなことを言ってから、ライカは一呼吸置いた。

「一般的な方々よりはツッコミをよくしている気がしなくもないかと……」

「やっぱり、私、ツッコミをしているのか……」

ライカらしく、言葉を選んだ気づかいのある反応だけど、要約すると「一度チャレンジするぐらいの価値はあると思うから、やってみろ」みたいなことを言われていた。

「しゃあない。やるよ。やりますよ。じゃ、私はネタを考えるから、ファルファとシャルシャはお笑い決定戦の詳しい要項や予選の場所でも確認しておいて」

すぐに二人の返事が戻ってくる。

ぶっちゃけ、ベルゼブブに聞けば細《こま》かい情報まで教えてくれるだろう。

でも、娘が参加すると聞くと、あいつ、八百長《やおちょう》で上に行くように取り計らったりしそうだから怖いな……。そこはフェアにやるように釘《くぎ》を刺しておくか……。


ただ、我が家の中でもう一組、参加しそうだった。

「お笑い比べかー！　フラットルテ様は勝負があるなら受けて立つのだ！」


フラットルテが立ち上がって、叫《さけ》んだ。

ああ、勝ち負けを決めるものならフラットルテは何でも興味を示すんだ……。

「いや、フラットルテ、あなたが出ても無駄《むだ》ですよ。ジャンルが特殊すぎます。出場するものをもう少し精査してください」

ライカが止めた。こちらは常識的な反応だ。

でも、フラットルテのやる気は常識の範囲を超えているのだ。

がしっ！　フラットルテはライカの肩に手を置いた。

「ライカ、お前もコンビとして出るのだ！　優勝を目指すのだ！」

「は、はぁ？　我《われ》ができるわけないではないですか！　予選落ちに決まっています！」

ライカも困惑している。そりゃ、そうだ。突然お笑いの大会に出ようと言われたら、誰だってどうしようと思う。

「ライカよ、やる前から予選落ちと決めつけるなんて、お前の偉そうな生き方もたかが知れているな」

そこでフラットルテが煽《あお》った。

「な、何を！　失礼ですよ！」

「事実を言っただけなのだ。やる前から負けているのだ。そんな発想では成長などできるわけがないだろ。それとも、お前は最初から諦《あきら》めるような奴《やつ》を尊敬できるのか？」

「くっ……そ、それはそうですね……」

ライカが言葉に詰まる。

あの……ライカ？　別に強くなることを目指すのと、お笑いの大会で上に行くのを目指すのは関係ないと思うよ？

でないと、金魚すくい大会だとか、愚痴《ぐち》を大声で叫ぶ大会だとか、あらゆる大会に参加しなきゃいけなくなるよ……？

「わかりました！　我も出てやろうじゃありませんか！」

ライカも乗せられてしまったー！

「やっぱりドラゴンはそれぐらいのやる気がなければいけないのだ。今回だけはフラットルテ様とコンビで戦うぞ」

「いいでしょう。やってやりますよ。あと、アズサ様」

ライカがやけに気合いの入った顔でこちらを見た。

「申し訳ありませんが、勝負であるからにはアズサ様にも負けないよう、我も全力を尽くします。ファルファちゃんとシャルシャちゃん相手でも手は抜けません。よろしくお願いいたします」

「ああ、うん。やりたいようにやって……」

この家、フリーダムだなと久しぶりに思った。

そこにロザリーが壁から出てきた。

「いつのまにか、えらいことになってますね。生きてるといろんなことがあるんだな」

「ロザリー、生きてるか死んでるかはこの場合、関係ないよ」

「でも、アタシたち悪霊は怖くなる話や胸糞《むなくそ》悪くなる話は割と得意な奴が多いですが、笑える話ができる奴は少ないから新鮮ですよ。生きていればこそです」

そりゃ、笑わせるのが得意な悪霊って変だよな。生前にあまり人を笑わせられなかった芸人の霊ぐらいしか該当しないのでは……？

ただ、その時、私の頭にとある死者の古代王国のことがよぎった。

………。…………………………。

うん、うかつなことを口にすると、影響を与えそうだから、黙っておこう。

こうして（現時点では）我が家から二組が魔族のお笑い大会に参加することが決まったのでした。

◇

ファルファとシャルシャの二人が呼んだせいか、後日、ベルゼブブがいちいち開催概要の資料とやらを持ってきた。

「人間の土地でも、六箇所で一回戦をやるのじゃ。その通過者が今度は三箇所の会場で二回戦をやる。で、最後に三回戦をやって、それで勝ち残れば魔族の土地での決勝に進出できるのじゃ」

「けっこう何度も戦わなきゃいけないんだな。ていうか、人間の土地で、そんなに参加する人っているの？」

ベルゼブブは首をかしげた。多少、投げやりな感じがある。

「昔ならほとんど誰も参加せんというか、情報が流れんじゃろう。しかし、今は魔法配信があるからのう」

「そういえば、一部の冒険者の間では魔法配信の視聴が行われてたんだった」

「今ではもっと裾野《すその》も広くなってきておるぞ。人間の土地でも、芸人みたいな職業の者は魔法配信をチェックしておることも珍しくないようじゃ。興味を持って参加しようと思う者もおるのではないか？」

人間の土地の芸人がどんな暮らし向きかは知らないけど、こういう職業はおそらく一部の無茶苦茶売れてる人と、大半の貧乏《びんぼう》生活な人に分かれている印象がある。

売れる側になれるチャンスがあれば、挑戦しようと思う人もいるか。

「そっか。ダメ元でやっても損はなさそうだしね」

ベルゼブブの話をファルファとシャルシャも熱心に聞いている。

むしろ、これで二人が適当に聞いていたら、あとで叱《しか》ります。

やると決めたからには、ちゃんとやってもらうぞ。ベルゼブブまでこうやって巻き込んでしまってるし。

「一人でもコンビでもグループでも出場資格はあるのじゃ。ただ、魔族のお笑いは二人一組のことが比較的多いのう」

ファルファが細かくメモをとっている。

「それと、一口にお笑いといっても、会場全体が爆笑するような方向性もあれば、シュールでくすくす笑ってしまうような方向性もあるが、決勝は観客もそれなりにおるから、場が盛り上がったと感じられる大笑いできるネタのほうが有利じゃ」

これもファルファがメモをとる。

「マニアックなネタもやめたほうがいいのう。ファンばかりが集まる、その芸人の単独公演とは意味が違うからのう」

これ、ベルゼブブも娘に言われて、少し調べてきてるんじゃないか？

こういう、何が有利だとかいった情報は募集要項みたいなものには絶対に書かれないので、ベルゼブブに直接聞けてよかったとは思う。

「飛び道具と呼ばれる特殊な芸風で勝ち進む者もおるじゃろうが、こういう奴は決勝では低評価に終わることが多いのじゃ。無論、決勝にまで行けた時点でかなりの実力ということじゃから、十分にすごいことじゃがの」

「そうだよね。その時点で奇跡みたいなものだもんね」

ファルファとシャルシャはメモをとっていて、相槌《あいづち》も打たなそうなほど真剣だったので、私が簡単に返事をした。

そしたら、こんなことをさらっと言われた。


「おぬしが全力を尽くせばいけなくもなかろう」

……え？　…………何？　ふざけてるの？

ベルゼブブの顔を二度見したけど、ふざけてる様子はない。

「なんでそんなに私の実力を過信してるの？　逆に理由が聞きたい！」

こちとら高原でだらだら生きてきただけだぞ。舞台に立つような仕事すらしたことないぞ。

「おぬしの人生を細かくは知らんが、物を見る時に、外からの視線というものを持っておる。性格みたいなものじゃと思うが、そういう意識は上手《うま》く利用できれば武器にはなるのじゃ」

ベルゼブブは私のことを、そう評した。

それって違う世界の出身だからということと、何か関係あるのかな？

ほかの世界の記憶がない人より客観的に物事をとらえられることはあるのか。

しかし、そんなこと言ったら、あらゆるものを批判的に言うような人はみんなお笑いの才能があることになるし、話半分に聞いておこう。

「まっ、ファルファとシャルシャは一緒に暮らしてるから、息が合ってるという点ではすでに有利なのじゃ。台本のクオリティを上げていけば、勝ち残れる可能性は高くなっていくはずじゃ」

そういうものなんだろうか。

まっ、ベルゼブブもファルファとシャルシャが参加するのに、やっても無駄などとは言えないだろうし、ここも話半分に受け取っておく。

とりあえず最低限のことはわかった。

「ありがとう、ベルゼブブ。あとでドラゴン二人にも教えておくよ」

「そういえば、あの二人も出るつもりなのじゃな。どこにおるのじゃ？」

「……森のほうで練習をしてる」

勝利を目指すということに関してはフラットルテは妥協しないのだ。

それにライカも己《おのれ》を高めるということに関しては妥協しない。

その結果、真剣にお笑いの練習をすることになってしまったらしい。

ライカに関しては軽く迷走しているのではという気もするが、長い人生だし、少しぐらい迷走してもいいと思う。誰かが傷ついたり悲しんだりすることでもないしね。

さて、じゃあ、私も本格的に台本を書くか……。

あんまり台本が遅くなると二人の練習時間が減って迷惑になっちゃうしな。意外と責任重大だ。

——と、その時、ワイヴァーンが遠くの空から近づいてきた。

「なんじゃ。ほかにも誰か来る予定でもあったのか？」

「ううん。そんな話は全然聞いてないよ。いったい誰なんだろう？」

一応、確認しに外に出てみるか。


ワイヴァーンが到着して降りてきたのは——

ムーとナーナ・ナーナさんだった。

実は内心で、「やっぱり来たか」と思った。

「みんな、久しぶりやな。今日は少しばかり用事があって来たわ。ほな、ナーナ・ナーナ頼んだわ」

さっと、ナーナ・ナーナさんが高原の家に入っていって――

ロザリーを捕まえた。

「おい！　何なんだよ、いきなり！　なんで引っ張られてるんだ？　アタシは犯罪者でもなんでもねえぞ！」

「おお、ロザリー、悪いな。少しの間、サーサ・サーサ王国で合宿してもらうで」

ムーがロザリーに向かって言った。

「合宿？　いったい、何の合宿だよ」

「ネタ作りに決まってるやろ。お笑い決定戦のトップを狙《ねら》うで！」

やっぱり出場するつもりだったか！

「おかしいだろ！　アタシはお笑いなんて全然わからねえよ！」

「サーサ・サーサ王国の連中やとあかんねん！　腐《くさ》っても王様やったからな。無意識のうちにへりくだってるんや。まして、うちの頭を叩《たた》くとか絶対無理や！」

そりゃ、王様の頭をぽかぽか叩くの、怖いよな……。

「それやとお笑いが成立せん！　だからお前の力が必要やねん！　来い！　天下とるで！」

「別にそんなもの求めてねえよ！」

「うちはお前と一緒に輝きたいんや！　頼む！」

その一言がロザリーの琴線《きんせん》に触れたらしかった。

しょうがないという顔をしながら、ロザリーは頭をかいた。

「……っち。無駄に熱い奴だな。わかったよ。アタシでよければ、やってやるよ」


悪霊たちの青春らしきものが目の前で繰り広げられている！

「よっしゃ！　見た奴、全員笑い死にさせたろうやないか！」

それだと、結局恐ろしい悪霊になっちゃうから、その目標はやめてくれ。

なお、そんなやりとりの間、ロザリーを押さえていたナーナ・ナーナさんはすごく面倒くさそうな顔をしていた。

「目上の人の思いつきで行動するの、イラッとするんですよね。本当に勘弁してほしいですね」

割とマジで腹が立っているらしい。気持ちはわからなくもない。

「じゃあ、ロザリー、しばらく死者の王国に行くんだね」

「はい。どれだけのことができるかわからないですけど、やるだけやってみます！」


そして、ロザリーとムーはお笑いの練習のために死者の王国へと向かった。

で、なぜかナーナ・ナーナさんが一人高原の家に残っていた。

「しばらく有休もらって、そのへんを漂《ただよ》ってリフレッシュする予定なんです。当分の間は、ロザリーさんが私の代わりに陛下のおもちゃになってくれるでしょう」

「永久に上司に振り回されると考えると、なかなか大変そうだね……」

話の通じない上司とかが一緒に転生してきてなくて、本当によかったと思った。

◇

支度《したく》が調ったので、私は本格的に自分の仕事を進めることにした。

仕事といっても、薬を作る魔女の仕事じゃない。

お笑いを勉強するのだ！

まず、人間の土地の大きな街に行った。

そういうところには必ず劇場がある。そこで喜劇やら寸劇やらを見た。

また、大通りを歩いて、大道芸人がいたら、そこもしっかりチェックした。

なお、ちゃんとチップは入れた。対価は払わないとね。

ベルゼブブや家族の反応からすると――

私はこの世界の物事を外から見ることに慣れているらしい。

ありえない話ではない。私の前世は別の世界なのだから、無意識のうちにそれと比べてみようとするのだろう。

二つの世界を比べようとする発想を、お笑いの方向に上手くシフトさせることができれば、お笑いの道でチートができる可能性もある！


あくまでも可能性でしかないけれど、自分の強みを使うべきではあるはずだ。

もちろん、そんなにあっさり上手くいくとまでは思ってない。

スライムを三百年間倒してきたというような長年の積み重ねなんてことを私はお笑いでやってないのだ。この世界でのお笑いの知識はほとんどない。

それに褒めてくれたのだって、家族とそのプラスアルファぐらいのものだ（心の中のベルゼブブが「プラスアルファって言い方をするな！」と文句《もんく》を言ってきたのが聞こえた）。

プロが褒めてくれたわけではないので、どこまでの信憑性《しんぴょう》があるかはわからない。

でも、娘に信頼されている以上は、家族に信頼されている以上は、それにこたえなきゃ！

意欲だけは強く持って、劇場でも鑑賞した。

「アズサ様、ものすごく真剣にごらんになっていらっしゃいますね……」

芸人の二人が舞台から去っていった時にライカに声をかけられた。

私一人だと遠方に行くのも限界があるから、ライカに運んでもらっている。

「ああ、うん。ちょっと気合いが入ってたや……」

「笑いに来た客という空気じゃなくて、本業の人間が見てるような空気だったのだ。隣にいても伝わってきたのだ」

もう片側の隣には、フラットルテが座っている。

ライカとフラットルテもお笑い大会に出るらしいので、練習の時間を奪っては申し訳ないから、一緒に来てもらっている。

「さすがに本業ってレベルじゃないでしょ。……いや、素人だってことを言い訳にしちゃダメなのか」

参加する以上は、素人もプロもない。

面白いほうが勝ちというルールがあるだけだ。

「アズサ様、ここ最近で最もやる気が感じられます」

「ご主人様の燃える闘争心がフラットルテにも伝わるのだ！」

こんなところでやる気になるのもどうなんだよって思うけど、仕方ないと解釈しよう……。

人間って毎日やってる仕事なんかよりも、趣味でやることのほうに全力をつぎ込んじゃったりするものだ。

だから、私のやってることもそんなに変なことじゃない。

まだ、次の芸人が出てこないから少し話す時間があるな。

ちょうどライカとフラットルテがいるのだし、聞きたいことがある。

「それで、二人はどんなネタで行くかは決めたの？」

「そのうち一本は決まっているのだ！」

フラットルテがやけに自信を持って言った。

「へえ。ちなみに、どんなのか聞いていい？」

「本当は企業秘密なんですが、ご主人様だから教えます。アタシはリュートが弾《ひ》けますよね」

そう、フラットルテはリュート（ただし、この世界のリュートは限りなくギターに近い）が上手《じょうず》だ。

「あのリュートを途中で弾く予定です。自分の中の仮タイトルは『リュート漫談（1）』です」

そういうの、日本でもあった気がする！

「アズサ様、フラットルテの言っているそれは、あくまでも一回戦用です」

ライカが目をつぶったまま言った。

「おそらく、楽器を使うようなネタは印象には残りますが、大爆笑にもつながりづらいです。リュートが弾《ひ》けるという一種の技術を『見せる』ものですから、芸の方向性としてはブレているのです。笑ってくださる人を増やすにはそちらに特化しなければ」

「真面目《まじめ》なライカらしい分析！」

たしかに人前で楽器を演奏する芸の要素と、話術で人を笑わせる芸の要素が混ざっているとは言えるな。

ライカはお笑いなんて全然知らなそうだと思ったけど、なにげによく考えている。

元々、頭がいい子だから、分析もできるんだろう。

「ライカは口数が多いけど、ネタはフラットルテ様が考えているのだ。批判は多いが、実際のモノ作りには向かないのだ」

フラットルテから苦情が入った。

「我の意見だって、なんだかんだで取り入れているではないですか。心外です」

なるほど……。ネタを考えるには分析だけじゃなくて、フラットルテみたいな勢いがいるのか。

「ご主人様、二回戦のネタも教えます。二回戦は裏技を使います」

「裏技……？」

フラットルテがやけに自信満々なのが逆に怖い。

「はい。二回戦は客いじりをやります。客といっても、二回戦を見てるのは審査員ぐらいなので、審査員をいじります」

「またトリッキーなことを！」

発想が一個一個違いすぎるけど、その分、自由度は高いな。フラットルテらしいかもしれない……。よく言えば柔軟《じゅうなん》だ。

「アズサ様、これも二回戦なら通用するかといったところですね。見ている側をネタに取り込むというのは、演じる側と見る側という枠組みを破壊するという部分では面白いのですが、一度やると目新しさがなくなってしまいます」

またライカが説明しだした。

「それにシンプルにたくさんの笑いを得るということにも不向きです。なので二回戦をクリアするためのネタだと割り切っています」

「は、はあ……。そっか、勉強になるや。いや、本当に勉強になる」

私なんかより、ライカとフラットルテのほうがはるかにいろいろ考えていた！

「ライカはすぐに概念がどうとかっていうことを持ち出すのだ。そんなことをどれだけ語っても笑えはしないのだ。つまらない奴だな」

「適当にネタを作って演じて、それだけで上に行けるわけがないでしょう。多くの方が切磋琢磨《せっさたくま》している世界なら舐《な》めてはいけません。まず、その世界への敬意がなければダメなのです」

フラットルテの言うこともライカの言うこともわかる。

ただ、間違いないことが一つある。やけに語るライカは絶対に「つまらない奴」じゃないぞ。

ある意味、すでにちょっと面白いし……。

客席の後ろから「プロが見に来てるぞ」「あのドラゴン、芸人らしいね」といった声がした。

いいえ、あくまでも素人です！


人間の国でのお笑いを摂取したあと、私とライカ、フラットルテは魔族の土地にも飛んで、そこのお笑いも見た。

で、宿に戻ってからは台本を考えたりした。

ヴァンゼルド城下町の劇場をいくつかはしごした時は、ペコラに言って泊めてもらおうかとも思ったけど、お笑いの勉強で来たので部屋を貸してとも言いづらいから、普通に宿に泊まった。

それに、考え事をするのには、おもてなしも何もないシンプルな宿に泊まるほうがいいのだ。

・ファルファとシャルシャの個性を生かしつつ、ちゃんと笑える内容にすること。
・かといって、あんまり双子であることを利用したネタが多いとワンパターンになるので、そのネタはほどほどにすること。
・持ち時間は決まっているから、笑える箇所――いわゆるボケの箇所は多くすること。
・ファルファとシャルシャが練習できる時間をとれるようにするためにも、できるだけ早目に台本は渡すこと。
・ファルファとシャルシャは、どういうネタが得意なのかははっきりわからないから、できればいろんなタイプのネタを入れておくこと。

そんなことを考慮に入れつつ、私は台本を書いていった。

たしかに今の私は真剣かもしれない。娘のためと考えれば、そんなにおかしなことじゃないんだけど。

夜ふかしして、原稿書きたい欲もあったけれど、ちゃんと寝る時間になったら寝た。

そこのルールは守る。

あと、翌日になったら新しいいいネタを思いついたりすることもあった。

微妙に時間を空けることで熟成できるようなこともあるんだ。一気に書き上げていたら頭に浮かばなかっただろう。

台本も生き物みたいなものだな。

今日書いたことでひらめくこともあれば、逆に昨日書かなかったことでひらめけなかったこともある。

大まかな方向性が変わることはなくても、細かな違いは無限にある。

そして——

私は人間の国と魔族の土地のお笑い研究を終えて、高原の家に戻った。

◇

私とライカとフラットルテが高原に帰ってくると、ファルファとシャルシャは家の外まで出て迎えてくれた。

「ファルファ、シャルシャ、これが台本！」

私はそんな二人に一冊のノートを手渡した。

それこそが私なりにベストを尽くしたお笑いの台本。

「ありがとー、ママ！」

「玉稿《ぎょっこう》はたしかに拝受した」

シャルシャの表現、ずいぶん硬いな。シャルシャらしいけど。

「お礼は内容を見てから言ってほしいかな。二人がこれでいけると思ってくれなきゃ、意味がないからね」

私がやった努力が無駄だとまでは考えてないけど、クオリティが低いならやっぱり使い道はないのだ。

笑ってもらうためのものだからね。

努力の成果なんてお客さんには一切《いっさい》関係のないことだ。面白いかどうかがすべて。

それと、お笑いをやる人だっていろんなタイプがあるはずで、ネタの良し悪《あ》しと、ファルファとシャルシャにそのネタが合うかはまた別なのだ。

そういう様々な問題をクリアしないと、本番では役に立たない。

ファルファとシャルシャはその場で台本を開いた。

あっ、恥《は》ずかしい……。こんな恥ずかしさは今まで知らなかった……。

娘を抱き締めたり、キスしたりしたことだってあるけど、そういうのとは違う、むずがゆさがある。

「あの、できれば部屋で読んでほしいかな、なんて……」

「ママが面白いと思ってるものでしょ。だったら大丈夫だよ」

「母さんだからといって、甘いことを言ったりはしない。真摯《しんし》に審査するので心配はいらない」

そこは母親だということで少し甘く見てほしい気もしたが、私からお願いすることじゃないよな。

私たちの横をライカとフラットルテのドラゴン二人が通って、高原の家に入っていく。

それについていって、私も家に一緒に入ってもよかったけど、台本を読んでいる娘二人から逃げたみたいになってしまうし、その場でじっと待つ。

二人はものすごく真剣な顔でページをめくっていく。

読んでいる間はほぼ無言だ。なかなか独特の空気になっているなと思う。

菜園のほうでサンドラが不思議そうに見つめていた。

そりゃ、気になるよね。私も逆の立場ならじろじろ見る。

台本だから、数本のネタが書いてあるとしても、読むのにさほどの時間はかからない。小説を読むのとはわけが違う。

それでも私はやけに時間を長く感じた。

つまんないと言われてもいいから、できれば早く結果がほしいな……。

最後のページを読み終わったのか、二人の開いているノートが閉じられた。

二人はお互いに顔を見合わせて、こくりとうなずいた。意思の疎通はできたらしい。

「ママ」「母さん」

「は、はいっ！」

担当教官に卒業論文を提出したような気分だ。

二人が、勢いよく抱き着いてきた。

「いけるよ！　どれも面白いよ！　ママ、すごい！」

「微妙な手直しはする予定だが、この方向性で演じられると思う」

よかった！　乗り切った！

私は奇妙な達成感を覚えていた。

泣くほどではなかったけれど、鼻がむずむずしてはいたから、もうひと押しあったら、泣いていただろう。

少しばかり厄介《やっかい》なことをクリアしたがゆえの達成感なんだろうな。

スライムを倒すだけじゃ、こんな気持ちにはならないからな。

とはいえ、毎回こんな仕事をしていると疲れるから、本当にたまにでいいや……。

でも、これで終わりではないのだ。

むしろ、スタートだ。

やっとスタートラインに立つことができる。

この台本を使って、ファルファとシャルシャは練習をして、お笑い大会に出場するのだ。

私は直接参加するわけじゃないから、ここからは娘の活躍と勝利を祈るだけ。

これがまた心臓に悪い。もしできることなら、決勝の結果がすべて出たところまで時間を飛ばしたいぐらいだ。

なんなら、そんな魔法を自作しようかなとも思うが――それはやっちゃいけないことだ。仮にやろうとしても、高度すぎて私の力では無理だろうけど……。

ファルファとシャルシャ、あと、ライカとフラットルテ、それと多分今頃《いまごろ》練習をやらされてるロザリー。

やるだけのことをやってくれ。

そのあと、ロザリーのことはわからないけど、残りの高原の家のコンビは何度も練習を繰り返したようだ。

私はというと、練習をあんまり細かく見るのは迷惑になりそうだと思って、直接関与することは控えた。

ただ、どっちのコンビもそれなりに自信がある感じなのはわかった。


そして、予選がはじまった。

本音を言うと、どちらのコンビも決勝に行くことは無理だろうと思っていた。

いくらなんでも猛者《もさ》たちの中を勝ち抜き続けるのは不可能で、どこかで負けちゃうのもしょうがない。

そう考えてたのだけど――

どっちも決勝に出ることになりました。

夕飯を作ってる最中、帰ってきたファルファとライカに、ヴァンゼルド城下町に行けることになったと言われた私は、「よかったね！」と言う前に、呆然《ぼうぜん》として、こう言ってしまった。

「マ、マジ？」

高原の家が変な方向に突き進んでないか……？

でも、もう軌道修正もできないよね……。

「母さん、決勝は家族も観覧用のチケットがもらえる。ぜひ、勇姿を見ていてほしい」

シャルシャにチケットを渡された。

「うん。見届けるよ。台本書いちゃった以上は責任もあるしね……」

ここまで大事になるとは信じきれてなかった……。

◇

私たち家族はいつものようにヴァンゼルド城下町へと向かった。

ただし、ドラゴン二人に乗ってではなく、ファートラに乗って。

ヴァーニアが船上（つまりリヴァイアサン形態のファートラの上）でこう説明した。

「出場者の方ともなれば、当然招待させていただきますよ。まして、ご家族で二組も出場者がいるとしたら、リヴァイアサンが来ても不思議はないですね」

「なるほど。そう言われると割と納得できる。でも、あなたたちって公務員だよね？　このお笑い大会って公的行事じゃないでしょ？」

「うっ……。鋭い指摘……。そこは国も協賛ということで……。それに魔王様も審査員ですし……」

ぽろっと新たな事実を知ってしまった。

「あっ、ペコラも審査するんだ。いろいろ首を突っ込みそうな印象はあるけど……」

その時、ファートラのアナウンス的な声が流れた。

『ちょっと！　審査員はまだ発表されてないでしょ！　事前に言っちゃダメじゃない！』

「え～ん！　口がすべったんですよ……。わたしは悪くないです！　いや、わたしが悪いのか……。わたしが悪いけど許してください！」

調子のいいことをヴァーニアは言っている。

「まあ、知ったところでペコラの好みのお笑いなんて誰も知らないからいいんじゃない？　ああ、逆に言うと、審査員の好みを知ってると対策ができちゃうから、審査員は公表してないわけか」

「そうです、そうです！　公平じゃなくなりますからね！」

それをポロリしちゃった人が言うな。

「あれ、そういえば」

ヴァーニアは私たち家族をじろじろ見た。

「幽霊の方が一人いませんね」

「ああ、ロザリーはサーサ・サーサ王国から向かうんだって」

「そういや、悪霊芸人の方がエントリーしてましたね」

悪霊芸人って言葉、パワーワードだな……。

ロザリーとムーも決勝進出を勝ち取ったらしい。多分だけど、幽霊ネタなんだろう。

娘二人も、ドラゴン二人も艦内の空いている部屋に入って、すぐに練習をスタートさせた。大会前からくつろいでいる余裕はないか。

運動部が大会の会場に向かう感じだな。


さて、その日の夕食。

ヴァーニアがメインディッシュを出したところで私は立ち上がった。

「参加者のみんな、聞いてくれるかな」

参加者だけでなく、家族みんなの目がこちらを向く。

「四人とも、本当にすごいと思うよ。少なくとも私はとてもできない。なので、私からはアドバイスできることなんて何もないけど、その……とにかくすごい！　すごい！」

もっと言葉を決めていればよかったか。

でも、後悔してもはじまらない。

私は手を叩く。拍手でみんなを送り出す。

「決勝ではどうしても順位がついちゃう。一位になるのは一組しかいないよね。でも、決勝まで残った時点ですごいんだから、自分はすごいんだ、面白いんだって胸を張って！」

「うん、ママ！」「我は全力でやります！」「絶対一位になるのだ！」「勝利は神のみぞ知る！」

みんなが揃《そろ》ってる前で言っておこうと思ったら、けっこうタイミングに迷って、食事中になった。

反省点はあとで洗い出すとして、ひとまずやるべきことはやったな。


私たち家族はヴァンゼルド城下町に着くと、大会参加組とそうでない側とに別れた。

当然、私は大会参加ではない側の組だ。

「なんか、自分が出るわけでもないのに緊張してきたわよ」

サンドラはたしかにそわそわしていた。

「わたしも落ち着かないので、お祝い用のお酒でもお店で見ておきましょうかね」

ハルカラ、それは自分が飲みたいからでは……？　でも、時間を持て余すのは事実だし、いいかな。

しかし、お酒の店に行く前に、ハルカラが「名案を思いつきました！」と叫んだ。

「何？　またトラブルになりそうなことだと怖いから、先に軽く話して……」

「お笑い大会に優勝された芸人の方は確実に知名度が上がりますよね。なので、その方に『ハルカラ製薬』の広告塔をお願いしようかと」

思ったよりもまともなアイディアだった。

「大会は魔族の土地で行われるわけですし、魔族のほうでも『ハルカラ製薬』の知名度が高まります！　優勝者が決まったらすぐオファーしましょう！」

そのハルカラの意気込《いきご》みを見ながら私は思った。

売れない芸人が大きな大会でいい成績を収めると急にお金が入るようになるって言うけど、間違いじゃないいんだな。

そのあと、宣伝用に商品を使ったネタをやってもらいたいんだけど、どういうのがいいだろうとハルカラに相談を受けた。

私はお笑いのアドバイザーではないぞ。

というか、薬の作り方とかで相談してほしい！

「あのね、ハルカラ……ネタなんて今から思いつくわけないよ。だって、どんな人が優勝するかもわからないのに、どうやって決めるの？」

「あっ！　さすがお師匠様《ししょう》！　おっしゃるとおりです。やはり、こういうことは専門家に伺《うかが》わないとダメですね。素人のわたしが考えても、企画の段階でおかしなものになりそうです」

私は右手を前に突き出して、「ちょっと待て」のポーズをとった。

「私も素人のほうだから。専門家のカテゴリーに入れるのはやめろ」

魔女だということを強く主張していきたい。家族にまで忘れられるのは困る。

◇

そして、私たちが到着した日の夜。

ついにお笑い大会が城下町の劇場ではじまった。

私も用意された席に座って開始を待つ。

まず司会者の魔族が舞台に出てきた。

「全世界のお笑い好きの皆さん、今日がやってきました！　まずは審査員の登場です！」

最初に出てきたのはペコラ。うん、すでに知っていたので驚きはない。

「ご存じ、魔王です！　今日はとことん笑ってくださいね！　魔王として公明正大にしっかり審査します！」

ペコラとしては、大会が盛り上がれば、それで目的は達成されたことになるのだろうけど、家族がたくさん参加してる側としては、勝利と栄光もしっかりつかんでほしい。

そのあと、二人目以降の審査員が順番に紹介された。

どうやら魔族の中では大御所の芸人に当たる人たちらしい。会場の観客の雰囲気《ふんいき》も、それを感じさせた。

ただし、それだけではなく、人間の大御所芸人らしき人も二人審査員に含まれていた。

こちらは魔族の観客から「誰だろう」「人間の王都とかで有名な人だろ」みたいな声が聞こえた。

審査員が出揃《でそろ》ったところで、ペコラが説明を加えた。

「最後に、審査のルールを説明します。各審査員は芸人さんのネタを見終わるたびに各自で点数をつけていきます。その点数は最後まで発表はされませんし、ほかの審査員の方の点数もわかりません。というわけで、順位はすべてのネタが披露されるまで闇《やみ》の中です！　誰が一位なのか、じっくり考えてくださいね！」

なるほど。緊張感がほどよく維持される、いいシステムだ。

――などと思っていたら、会場のどこかから「一位から三位までの組を順番にすべて当てた人には豪華景品がもらえるよ～。大絶賛発売中！」なんて声が聞こえてきた……。賭《か》け事《ごと》の対象にもされてるんだな……。

「豪華景品がほしい人もじっくり考えてください！　あとは司会者の方に代わってもらってもよろしいですか～？」

司会者の魔族が「あの……ルール説明も本当は司会者のほうでやるはずだったんですが……」と困惑していた。魔王は破天荒《はてんこう》だからしょうがない。

いよいよスタートだな。


司会者が「では、最初の芸人の方が早速登場です」と言って、こう続けた。

「死ぬほど笑える二人組、『ただのしかばね』！」

あっ、このコンビ名はもしや……。

私の予想は当たった。

ロザリーとムーが出てきた。

「はい、どうもどうも～。生きてる時間より死んでからの時間のほうが長い『ただのしかばね』のムーです」

「ちょっと前に二百回忌《き》をやったロザリーだぜ。いやあ、しかし、会場のみんな、揃いも揃って……………」


なんだ？　タメを入れてきたぞ。


「………みんな生きすぎじゃねえか？」

「こっちが死にすぎなだけやねん」


ムーがツッコミでロザリーの頭を叩いた。

こういう芸風なんだ……。

さて、家族が出演しているわけだし、真剣にロザリーとムーのネタを見るぞ。


「今日はな、ちょっと知り合いの悪霊から相談を受けたんだけどよ」

「うん、何、何。死んで長いからな。なんでも相談してや」

「遺族が遺産相続でモメてるので、法的に円満に解決したい。法律に詳しい霊はいないかって」

「何の協力もできんわ！　専門知識いるタイプのやつやったら、そういう奴に聞けや！」

いきなり典型的な漫才っぽいネタを見ることになるとは……。


「とにかく早く解決しないとよくないらしいんだよ」

「でも、その悪霊が遺族を呪《のろ》ってるわけでもないんやろ。じゃあ、時間かかってもええやないか」

「いや、遺族がなぜか雪で閉ざされた別荘に集まっていて、一日のうちに三人謎の死を遂げてるんだよ」

「遺産相続より重い問題起きてるやないか！　しかも、なんでそんな事件起きそうなところに集まってるん？　雪降る時に別荘はあかんねんて」

「それでよ、連続殺人事件が起きてるのが悪霊の祟《たた》りってことにされてるらしいんだよ」

「事実無根《じじつむこん》やな！　それは悪霊も怒るわ。そういうのは悪霊の仕業《しわざ》と思わせたい、生きてる奴がやってることやねん！　それで本当に悪霊がやってることはないねん！」

「だからな、もう本当に早く遺産相続を解決したいらしいんだよ」

「いや、もう人が殺されてもうてるから、それどころの問題ではないで。それより一段階上の問題になってるんやで！　勝利条件が変わってるねん！　生き残ったらそれで勝利みたいなことになってるねん！」

「このペースだと、もうすぐ遺産相続ができる奴が全員死ぬっぽいんだよ。どうしたら円

満に解決できる？」

「円満はすでに無理やで！　むしろ粉々《こなごな》やで！」

「これ以上、一族の間が不仲になるのはよくないよな」

「不仲はとっくに通り越してるからな！　むしろ、不仲やったとしても生き残った奴で助け合うしかない状況やろ！」

「なあ、犯人は誰だと思う？」

「お前も相談の趣旨変わってるやろ！」

なんていうのかな。

やけになつかしさを感じる！

初めて見るのに、初めてではないような安心感がある。

終始そのノリで『ただのしかばね』のネタは終わった。

ううむ……。安定はしていたけど、おそらく優勝するほどではないな。

司会者から感想を求められたペコラが「やっぱり一番手は難しいですよね～」とオブラートに包んだような表現をしていた。

これはそこまで評価が高くない時に言う表現。やっぱり教科書みたいに落ち着いたネタでは、壁にぶち当たるということだろうか？

これ、どうなっていくのかな……。さあ、次は誰だ？

司会者が「次はピン芸人のブッスラーです！」と告げた。

また知ってる人物！

颯爽《さっそう》とブッスラーさんが出てきた。たしかに立ち居振る舞いがピン芸人ぽい。

「はいはい！　ブッスラーでーす！」

ブッスラーさんは登場するなり、

「しなやかな筋肉っ！」

変な決めポーズをやった。


「さて、今日は皆さんもご存じの筋肉の歌を歌っていきたいと思います！」

別に存じ上げてはない。

「**筋肉は裏切らない、筋肉は裏切らない～♪　筋肉とお金は裏切らない、筋肉とお金は裏切らない～♪　お金は裏切らない、お金は裏切らない～♪**」

結局、お金の歌になってる！

「**人は裏切る、人は裏切る～♪　人はお金のために人を裏切る、そんな醜い生き物～♪**」

方向性が変わってきた！

「**でも、お金は裏切らない、お金は裏切らない～♪　あくまでも裏切るのは、お金に目がくらんだ人だけ～♪**」

嫌な歌だな！　気持ちが沈んでいくわ！

「筋肉最高！　なお、私はそこまで筋肉に自信があるタイプの武道家ではないです！　しかーし、筋肉がない人でも強くなれます！　ブッスラー道場は新入生を募集しています！　ありがとうございました！」

ずっとボディビルダーのポージングみたいな動きをしながら金を讃える歌を歌って、ブッスラーさんは退場した。

あれでいいのかな……。道場の経営者がやるネタとしてはあんまりよくないと思うが、結果的にまあまあ笑いもとれていたからいいのか。

と思ってたら司会者の魔族が戻ってきた。

「すみません、今のは広告なので、評価には加えないで大丈夫とのことです」

ＣＭでも芸をやるんかい！

なかなかカオスなことになりそうだな、このイベント……。

そこから先はしばらく誰かわからない魔族の芸人が登場した。

コントをする人もいれば、ほぼ大道芸ではないのかというようなことをする人もいて、そのあたりは何でもありらしい。

もっとも、大道芸人の魔族なんかはあまり高い点を取れなかったと思う。

理由は明白だ。大道芸ってすごさを見せつけるものだから、笑いに直接はつながらないのだ。

実際、サンドラなんかはうとうとしはじめていた。

「ふあ〜あ。こういうのって、ずっと目が離せないから疲れてきたわ」

子供の集中力の限界に来ちゃってるな。

やっぱりお笑いネタのほうが有利なようだ。私だって集中力が少しずつ落ちている。中盤から後半に差し掛かったあたりだと思うけど、冷たい水で顔を一度洗ったりして切り替えたいもん。

もっともそんな頭も「次は『スライムズ』の二人です」という声で、すぐに覚醒《かくせい》した。

ファルファとシャルシャの二人が舞台に出てくる。

どことなく、堂々としているような感じがした。

自慢の娘という以前に、大会に勝ち残った芸人として、私の目にも映った。

余計な感想をはさまずに、まずはじっくりネタを見よう。

「みんな～、ファルファだよ～」

「正真正銘のシャルシャ」

「双子だから区別つかないね～」

「髪の色でわかる」

「先日、ファルファ、道に迷ったんだよね」

「心配いらない。人生は迷うもの。好きなだけ迷うがいい」

「そんなおおげさなことじゃないの。ファルファね、夜、部屋で本を読んでたんだ。数式でこの世界を証明しようとした本だよ」

「そういうのも読むというのかは疑問だが、まあ許容する。それでどうなった？」

「今のこの世界をAだとすると、この世界はちょっとしたことですぐにBやCといった世界とイコールになってしまう。だから、一歩間違うとBやCの世界に入ってしまうって結論が書いてあったんだよね」

「それは奇書」

「それでね、本を閉じたら、なんか部屋が薄暗いんだよ。ランプもついてるんだけど薄暗いんだよ。そもそもランプの灯《あ》かりが灰色《はいいろ》でね、全部が暗いの。ファルファ、怖くなってね、ドアを開けてね、ママの部屋に行ってみたの。でもね、ドアをノックしても返事がないの。ファルファ、しょうがないからゆっくりとドアを開けたの」

「よくない展開」

「そしたら、ちゃんとママらしき人影があるの。でもね、そのママはママそのものなんだけど顔色が悪いの。なんか曇ってるの。それで何もしゃべらないの。ファルファ、わかっちゃったんだね。このママは死んでるって。ていうか、すべての人が死んでるって」

「とても怖い」

「どうやらファルファ、すべての生物が死んでいる世界Bに入っちゃったんだね。世界Aと世界Bがイコールだって証明を見ちゃったから、それで行っちゃったんだよ」

「自分の存在も不安定になってきた」

「どうしよう、どうしようって思ってね、ファルファは悩んでたんだけど、ゾンビみたいな人が追いかけてきたんだよ。ファルファは逃げたんだけど、どうにかして元の世界に戻らないといけないよね。でないと大変なことになるよね。それで、ファルファ、はっと気づいたんだよ。また同じ本を開いて証明のページを見れば、世界Aに帰れるかもって」

「それで、世界Aに戻ってきた？　今後は道に迷わないようにしてほしい」

「ううん。その本は開けてないよ。まだ世界Bだよ」

「えっ？」

ファルファとシャルシャが観客席を向いた。

「あなたたちは世界Bの住人。全員死んでいる〜」

「全員死んでいる」

「全員死んでいる〜」

「全員死んでいる」

「『死んでいる〜』」

いい感じにハモれたね。

会場が奇妙な空気に包まれる。これがファルファとシャルシャの大ネタだ。笑いをとる箇所は少ないけど、その分、ここで大きなインパクトが出る。

「ところで、姉さん」

「ん、何？　まだ死んでいる〜って歌おうよ」

「みんなが生きている世界Aに帰るべき。その本はどこにある？」

「…………別にいいじゃん。すべてが死んだ世界は楽だよ〜」

「姉さん、目を覚ませ」

ぽかりとシャルシャがファルファを叩く。

「痛い！　シャルシャ、死んでいる世界でも暴力は反対だよ！」

「今、痛いと言った。今、痛いと言った？」

「そ、それがどうしたの？　詰め寄ってこないで……。死んでても割と身構えちゃうよ！」

「痛いということは、その心も体もまだ完全には死んでないということ！」

「あっ、そうだ！」

ファルファがおおげさに「悟った」リアクションをする。

「よし、二人で戻ろう！　元の世界Aに戻れる本を探そう！」

「こちらがすでに用意してある本になる」

「準備がよすぎるよ！　でも、これで帰れるね。いっせーので、開くよ！」

「いせっのーで、ほい」

「いっせーのだね。リズム感に独特のなまりがあるね」

二人がそこにあることになっている本を開くしぐさをする。

「ふう、戻ってこられた。これにて一件落着。日々是好日《これこうじつ》」

「だと思った？　ふっふっふっふっふっふ」

「姉さん、どういうこと？」

「ここは世界Cでした〜」

「「……ありがとうございました」」

最後にぴょこりと二人はおじぎをした。

直後に二人に向けての拍手が起こった。

これまでで一番の拍手だった——と思いたいけど、台本を作った私が、娘の演技を見て受けた感想だから、客観性は怪しい。「全員死んでいる〜」と二人が畳みかけるように言うところの会場の反応はけっこうよかったと思うんだけど。

冷静に本音を語れば、このシュール系のネタを持ってきてしまったかという気持ちはある。

シュール系のネタは一部の人には大ウケするけど、一位を取りにいくのには向かないのだ。

それを自覚しつつ、私はいろんなネタを入れようということで、そういうネタも台本に書いた。

そのネタを二人が決勝でやったということは、おそらくだけど——

この舞台に来るまでの予選で、ほかの使いやすいネタを使い果たしてしまったのだろう。

自分の技術に絶対の自信があるような芸人なら、ほどほどのネタで予選を勝ち進むということもできるかもしれない。

でも、一回一回が全力勝負の娘二人にはそんな余裕はなかった。

勝率が高そうなものから使っていけば、演じるのが難しいネタが残ってしまう。

最終的に二人は、シュールなネタで決勝に挑むことを決断したのだ。

その結果がどうなるかはすべての組のネタが終わって点数発表が行われるまでわからない。

でも。

やりきったという手ごたえが、娘二人の顔にはあった。

それだけは間違いない。

ぽんぽんとハルカラが私の太腿《ふともも》を叩いた。

「よかったですよ！　これは優勝かもしれませんよ！」

「いや、それは早計でしょ。まだドラゴン二人も出てないわけだし」

とは言ったものの、ハルカラの反応も上々というのはうれしかった。お世辞という雰囲気もない。

ちょうど、感想を求められた審査員が話していた。その意見も悪くはなさそうだ。

できれば、いい点をください！

「あのネタ、アズサが考えたの？」

今度はサンドラに尋ねられた。

「ひな形はね。かなり二人が改変してるよ。とくにシャルシャの言葉はほぼ別物かな」

このあたりは実際に演じる人の立場のほうが、言葉のチョイスが正確にできるしね。

「だから、あれは二人が作ったネタも同然だよ」


そのあともいろんな芸人が登場し、ラストの前に司会者の「次は『ダブルドラゴン』の二人です！」という声がかかった。

家族というより、観客の立場で見させてもらおう。

「こんにちは。『ダブルドラゴン』のライカです」

「フラットルテ様なのだ。よろしくなのだ。コールドブレスで全員凍りつかせてやるのだ」

「お笑いの場では、とんでもなく不吉な表現ですね！」

「なぁ、ライカよ。実はフラットルテ様、とても困ってることがあるのだ」

「なんですか？　相談に乗るぐらいならしてあげましょう」

「この舞台でしゃべるすべてのセリフとネタを忘れたのだ」

「他人事として聞くつもりだったのに、我も困るやつでした！」

「というわけで、フラットルテ様は一切のボケをしないので、ライカがよろしくやってくれなのだ」

「やれませんよ！　こういうのは一人ではできないようになってますからね！」

「フラットルテ様は横で腕組みして突っ立ってるから心配するな」

「忘れた側なのに、態度が悪すぎるでしょ！　何もしゃべれないのに存在感が出る立ち方をしないでください」

「ほら、前に食べた牛の串焼きが美味《うま》かった話とかで数分乗り切ってくれ」

「笑いの場で食べ物はダメなんです！　食べ物の話にオチはないですからね！『美味《おい》しかったです』で終わりですから。オチがない話はここではしゃべれないんです！」

「じゃあ、フラットルテ様の、人に言われるとイラッとする言葉ベスト5を発表するから、その間にトークテーマを考えてくれ」

「誰も聞きたくないミニコーナーですね！」

「第五位は『根はいい人なんだけどね』だな」

「たしかに『結局は問題のある人なんだよね』って言ってるのと変わりないですからね」

「第四位は『ほにゃららの時代は終わった』だな」

「だいたいの場合、その時代が終わってほしいという、言ってる本人の願望ですからね。じゃあ、三位は何ですか」

「………三位は忘れたのだ」

「困ります！　イラッとする言葉ベスト5に乗っかって話を伸ばそうとしたのに、さらに梯子《はしご》外さないでくださいよ！」

「では、フラットルテ様のもらってうれしいプレゼントベスト3を発表するのだ」

「ランキングを勝手に変えちゃいましたね。そこは初志貫徹《しょしかんてつ》しなきゃいけないとこだったんですけどね」

「第三位から第一位まで順に言うぞ。土地、金、権力なのだ」

「無茶苦茶、嫌な奴ってことしか伝わらないですよ。あと、ベスト3をはしょらないでください。ネタを忘れたままですからね。人生で一番はしょってはいけない局面ですからね？」

「あっ、イラッとする言葉の六位は思い出したのだ」

「三位を思い出してほしかった！　六位は進行上切り捨てていいやつなんですよ。五位と四位を聞いたあとでの六位に用はないんですよ。六位の言葉だってきっと出たくないですよ！」

「あっ、思い出した、何もかもを思い出したのだ！」

「おお、よかった。今から軌道修正できますか？」


「最初から台本を読んでなかったことを思い出したのだ」


「不真面目がすぎる。ありがとうございました！」

「いいや、ありがたいとは思ってない！」

「今のは終わりって意味です！　ネタ覚えてないのに続けようとしないでください！」

「本当にありがたいとは思ってないのだ！　誰にも感謝はしてないのだ！　独立独歩《どくりつどっぽ》でやってきたのだ！」

「だから、印象を悪くしないでください！　腕組みしながら、足を広げて立つのをやめてください！」

「人に言われるとイラッとする言葉第六位は、『なんで怒ってるかわかる？』だ」

「我がなんで怒ってるかわかりますかー!?　ちゃんとやってくれないからですよ！」

「気分が乗らないから帰るのだ」

「こっちのセリフです！　皆さん、ありがとございました！」

最後の締めにかかるところまで、フラットルテは「ありがたいとは思ってない！」などと変なことを言っていた。

思いのほか、よくできていた！

どっちが中心になってネタを考えたのかわからないが、適度に意外性があった。そして、基本レベルはかなり高かったと思う。

私がそう考えていたら、まさに審査員の魔族の一人が「安定感がありましたし、盤石《ばんじゃく》という印象を受けました」とコメントしていた。

あとはこの大会での審査基準がどこにあるかだな。

シュールなネタのような飛び道具的なものは、どうしても好き嫌いが激しく分かれやすい。だから、笑いが多く取れて、少しひねったぐらいのネタが有利だと思う、まさにドラゴン二人はいいネタをやった。

でも、会場によって審査員の趣味や嗜好《しこう》は変わってくるのも事実。

さて、どういう評価が下されるかな。

でも、いいや。

ライカもフラットルテもすがすがしい顔をしている。フラットルテに至ってはもう優勝が決まったように笑顔になっている。

手ごたえがあったという感覚はきっとあったのだろう。

あのネタ、どっちが作ったのか、あとで聞いておこう。


そして――

ついに結果発表の時間が来た。

審査員代表というか、魔王という立場であるペコラが舞台の中央にやってくる。

「三位から順に、ばばばっと読み上げますよ。なにせ皆さん僅差《きんさ》でしたからね」

さあ、どうなる？

ドラムロールみたいなものとともに会場が暗くなる。

私までぎゅっと胸の前で左手を右手で包むようにした。


「三位『スライムズ』！　二位『蜂蜜砂糖』！　一位は『ダブルドラゴン』！」


ライカとフラットルテの二人にライトが当たった。

しばらくライカは呆然としていたようだが、その手をフラットルテが引っ張る。

「やったのだ！　さあ、前に出るぞ！」

「は、はい！」

会場が明るいものに戻る。ほかの参加者は拍手をしたり、惜しかったな～という顔をしていたりした。

ペコラがメダルを二人の首にかけていった。

「本当におめでとうございます！　とってもよかったです！」

「光栄です！　努力は報《むく》われるのですね！」

「やっぱり力比べはどんなものでも勝つとうれしいのだ！」

うん、本当におめでとう。

そして、ファルファとシャルシャはというと――

泣いているシャルシャを、ファルファが背中をさすって慰《なぐさ》めていた。

うん。悔《くや》しいよね。私も関《かか》わっているから、とても悔しい。

でも、この経験は二人にとってきっと悪いことじゃない。悔しがれるのがその証拠だ。

私も二人を見ていたら、少し泣けてきちゃった。あくまでも泣いてる理由は感動のせいだけどね。

感極《かんきわ》まったというやつだ。

さっとハルカラが何かを太腿に置いてきた。

「ハルカラ製薬の目薬です」

「気が利《き》いてるのかそうでないのかわからないな……」

普通はハンカチじゃないのか？

◇

高原の家に戻った私はフラットルテとライカに気になったことを質問してみた。

「あのネタはどっちが考えたの？」

「フラットルテなのだ」とフラットルテが勢いよく手を挙げた。

ただ、ライカは何か苦々しい顔をしている。どういうことだろう？

「ネタといっても細かくセリフを決めたわけではありませんからね。おおざっぱな流れ以外はほぼアドリブでした。フラットルテが本当に何も言わなかったら大変なことになっていました。終わるまでずっとひやひやしていました」

「ものすごく危なっかしいことしてたんだな！」

しかし、フラットルテは悪気など何もないようだ。

「ああいうのは、一発勝負のほうがライブ感が出るのだ。勢いというものが必要なのだ。単純な練習量と技術ではプロの芸人には絶対勝てないんだからな。だから、観客がたくさんいる場所でやる決勝はあのネタで正解だったのだ」

もしや、観客がいるという意味では、音楽もお笑いもフラットルテには似たものなのかもしれない。

「それにフラットルテ様が詰まってしまうことなんてあるわけないだろ。あれぐらいのことは簡単なのだ」

調子に乗ってるとしか思えない発言だが、フラットルテの反応は割と淡々《たんたん》としていた。そんなに威張ったという意識はないらしい。

これは天才型ということか……？

フラットルテを見て、ライカは困ったような顔になった。

努力重視型のライカがフラットルテを苦手にしていた理由を改めて感じた。単純に話が通じづらそうだよね。

まっ、とにかく栄誉であることは間違いない。

ドラゴン二人だけじゃなく、もちろん娘二人もね。

さっき娘二人の部屋に入ったら、しっかりと三位のメダルが飾られていた。

形に残る勲章というのも悪くないなと私は思いました。

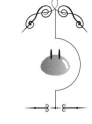

おばあちゃんになった

She continued destroy slime for 300 years

これは私が実際に体験した、怖いお話です。

その日、私は魔族領にある魔族魔法博物館というところに来ていた。

ファルファとシャルシャに頼まれてやってきたのだ。博物館だと、私たちを連れてきてくれたライカも興味を持って見られるのでちょうどいい。

なお、ベルゼブブは仕事があるので来ていない。あとで合流する予定だ。

ファルファとシャルシャは展示品の横についている説明をじっくり読んでいる。

二人なら魔族の言葉もある程度読めるのかもしれないけど、ここの説明板は人間の言葉でも書いてある。

なんでもペコラの施策で有名な博物館や観光施設は多言語表記になったらしい。

私たち以外にも精霊だとか、魔族領に来る人も増えてきたしね。

ただ、あわててやったからなのか、たまに翻訳がおかしいところもある。

とってもすごい杖《つえ》

これはな、千三百年ほど前まで使われていた杖だぜ。杖の先っぽがとがってて、刺すことができるのでございます。

材質　獣の牙《きば》

ぶっきらぼうなのか、丁寧《ていねい》なのかわからん。細《こま》かいニュアンスを伝えるのって難しいよね……。

さて、魔法博物館ということなのだが――

展示されている物は大半が魔導書なので、ヴィジュアル的に面白《おもしろ》くはない！

歴史的に意味がある魔導書なのは確かなんだろうけど、ミイラの展示を見るようなインパクトはないんだよね。ひたすら本が並んでるだけなのだ。

解説はそれぞれしっかり書いてあるようだけど、今度は難しくて頭に入ってこない。

これでも魔法を使える立場ではあるんだけど、魔導書の研究となると完全に専門の学問分野なので、少し魔法が使える人間程度では太刀打《たちう》ちできない。

日本で言えば、戦国時代が好きな人すべてが、その時代の古文書をすらすら読めるわけではないようなものだ。そこにはさらに別の知識が必要になる。

しかも、ここの展示は魔女というより、魔法使いの領分だし。

魔女はどっちかというと、薬草や鉱石なんかに詳《くわ》しいのだ。なので、私があまり展示品に興味を持てないのも仕方ない。

それでも真面目《まじめ》なライカは一つ一つじっくりと説明板を読んでいる。

ただ、その分、やたらと時間がかかっている。

「ふむふむ……なかなか複雑ですね……」

ライカは魔法が使えるわけでもないから、余計になじみがないだろうに……。本当に勉強熱心だな……。

私はあそこまで熱心にはなれないから、もっと楽をしよう……。

ショートカットしようと思い、館内を見回すと、気になるところがあった。

その名も、体験コーナー。

文字通り、実際にアーティファクトや魔導書を手にとって、体験していいという場所だ。

これなら私でも十二分に楽しめる。ここでしばらく時間をつぶすことにしよう。

まずは先端部分がやけにとがった杖。

これは武器なのかなと思ったら、「地面に突き刺すことができるぜ」と案内板に書いてある。

手に取って、用意されている土の上にザクッと突き立てると、しっかり固定できた。

「そっか、そっか。これは手がふさがってる時なんかに便利だね」

続いて、トップクラスに重いと言われている魔導書。

重いというよりもまず大きいので、片手では持ち上げづらい。

「あっ、両手なら楽勝だな」

ただ、私のこの体は力が強いので、あんまりよくわからない。普通の人間だととても持ち上げられないのかな。

次に置いてあったのが、いかにも古そうな箱。

難しく表現すると、櫃《ひつ》ということになるのだろうか。

説明板には「開けてみると魔法が発動するぜ。これはびっくりでございます」と書いてあった。

やっぱりぞんざいなのか、丁寧なのかわからない文面だ。

とにかく、開けてみることにするか。

体験コーナーにあるぐらいだから、世界に一つしかないほど貴重なものではないと思うけど、それでも古いものなのは確実なので、慎重に両手でふたを開けた。

すると、箱の中から白い煙《けむり》がもくもくと出てきた。

ドライアイスの演出みたいだ。

「ほうほう。煙が発動するようにできてるんだな」

煙はあっという間に消えてしまったが、なかなか面白い趣向じゃなかろうか。

これなら飽《あ》きてきた子供なんかも楽しめるはず。いや、責任転嫁《てんか》みたいでよくないな。飽きていたのはまさに私だ……。

どうせほかのみんなもそのうちここまで追いついてくると思うけど、せっかくだし教えてあげにいこう。

博物館って多人数でわいわい楽しむものではないが、自分だけ浮いてる感じがある。もうちょっと関《かか》わってる感じがほしい。

だが、体験コーナーから背を向けた時――


体に違和感を覚えた気がした。

なんだろう……。急に体が硬くなったような……。


まさか石化する魔法でもかかっていた？　だったらみんなにはむしろ開けないように言っておかないと。いや、そんな危ない魔法が発動する物が体験コーナーにあるわけない……。

幸い、体は硬いが、動きはする。石化ではないようで、よかった。

だったら、どんな影響があったんだろう。体が本調子じゃなくなる程度に不調になる呪《のろ》いなんてないと思うけど。

「ねえ、ファルファ、シャルシャ。あっちに面白いものがあったよ」

あれ、自分の声にも張りがないような気がする。

博物館ってそんなにしゃべるところじゃないからか？

でも、そんな次元のことではなさそうだった。

二人がこちらを見た。

「わーーーーーーっ！」

ファルファが博物館では出してはいけない声のボリュームで叫《さけ》んだ。

一方、シャルシャは物理的に一歩あとずさっていた。その表情から緊張が読み取れる。

明らかに反応がおかしい。

「え、何……？　ママにそんな変なところでもあった？」

だんだんと怖くなってきたぞ……。

「ママ、本当に気づいてないの？」

「ファルファ、何か起きてるの？　もしや、角でも生《は》えてる……？」

頭に手をやったが、とくに変化はない。

髪がぱさついているような気はする……かな？

ライカに乗って移動すると、風も受けるのでしょうがない面もあるが。

ファルファとシャルシャは何か協議をしていたが、やがて結論に達したらしく、二人で同時にうなずいていた。

まずシャルシャがどこかに向かった。

一方、ファルファは私の手を取った。

「ママ、博物館の庭園に行こう」


そのままファルファに引っ張られて、庭園に出た。

大きな池があって、池の周辺をぐるっと周遊できるタイプの庭だ。

私はその池のところまで連れていかれた。

「何？　水に入ると変化がありそうだったりするの？　あんまり池にははまりたくないけど……」

前世では水やお湯で性別が変わる漫画があったと思う。そんなことはないとしても、池にはまるのは嫌だ。着替えとか用意してないし。

「そんなことしないよ。近づいてみればわかるよ。ママ、池を見て！」

言われたとおりに見てみたが、よくある庭園の池という感じだった。奥のほうで亀が泳いでいるのが見えた。

「一般的な池じゃない？　魔族領だと水質が特殊なの？」

「ママ、池の水面をのぞいてみて」

言われて、水面に顔を映してみる。

この真下に何かいるのか？　いや、それじゃ私のことと関係がない。

だとしたら、この水面を鏡にして、姿を見ろということ――あっ！

そこには……おばあちゃんになっている私がいた～！


「うわああああああ！　なんだ、これ！」

髪が銀髪になっているし！

しわがいっぱいで誰《だれ》かわからないというほどではないが、いかにも魔女ですって感じの年季が入っている！

ベースの体が十七歳だから、六十歳ぐらいの一般人が化粧で若くしたような不自然さがある！

あの体験コーナーの箱は一種の玉手箱だったらしい。

まったく、開けてびっくりだよ……。

これ、どうすればいいんだ？

どうにかしなきゃいけないんだけど、水面で体を確認したら、急に体力が減ったようで、あんまり動きたくない。脳がその姿だとそんな元気に動けないだろと言ってきているみたいだ。

「あと、やっぱりショックだよなあ……」

私がおばあちゃんの姿になって呆然《ぼうぜん》としていると、そこにシャルシャが合流してきた。

「学芸員から話を聞いてきた。母さんが開けた櫃は、一時的に老人になる煙が入っているものだったらしい」

「体験コーナーに置いていいものじゃないだろ！　……でも、一時的だったらいいのか」

考えてみれば、一生老いたままになるなんて魔法が実在するとしても、箱を開けただけで発動するほど簡単にはいかない。そんなの、ものすごく高度な魔法のはずだ。

まして、あの櫃は体験コーナーにあった、そこまで貴重性が高くないものだ。

効果はせいぜい三十分から一時間ってところじゃなかろうか。

「ねえ、シャルシャ、煙の効果ってどれぐらい続くの？」

「期間は約一週間らしい」

「まあまあ長い！」

魔族の視点だと一週間は一時的と言えるものなんだろうか。でも、いきなり一週間、会社を休みますということになったら、魔族にとっても迷惑な気がするけど。

そして、私もモロに迷惑を被っていた。

効果が一週間だと、この姿で高原の家に戻るしかない！

絶対にネタにされるのであまり喜ばしいことではない。

「これまで影響を受ける人間が入館することはなかったので油断した、そう学芸員は言っていた」

「ああ、魔族には影響がなくて、白い煙が出るだけってことだったのか」

体験コーナーにあれがあったのは、白い煙を見せるためだったのだ。

だが、人間には効き目があった。人間が客として来ることを想定していないままの展示に、私がやってきた。

「『翻訳だけ対応すればいいというものではないという大切な知見を得た。今度からは人間の来場者も安全に楽しめる展示を目指《めざ》したい。ありがとうございます』と学芸員は言っていた」

「感謝してもらう前に、なんとかしてもらいたい」

はっきり言って一週間もこのままなのは困る。

「『効果が一時的なものである魔法は解呪もできない。さらに、変身の魔法も今の魔法の効果が残ってる間は効き目がない。一週間、その姿でいてほしい』、以上が学芸員の談」

「ダメなんだ……」

「でも、いいものをもらった」

そういえば、シャルシャは何か手に持っている。

よかった、なんらかの打開策はあるみたいだ。

「お詫《わ》びに入館チケットをもらった。これで次は無料で入れる」

「根本的な解決にはなってない！」

チケットは博物館の好きな家族に使ってもらうことにしよう。


しょうがないので、ライカのところにも報告に行った。いきなりこの姿を見せると驚かせるので、ファルファに先に話だけ伝えてもらってから、私はライカと顔を合わせた。

ライカはしばらくどう表現するか悩んだ挙句《あげく》、

「アズサ様、威厳が備わりましたね」

と言った。ものすごくオブラートに包んだ表現だな……。

「大丈夫です。ご老体にしては相当若く見えますから！」

「フォローしてくれていることがわかって、心苦しい！」

元から若いんだよ！　三百歳でも体は十七歳だったんだよ！

◇

そのあと、ベルゼブブの家に行った。

本音を言うと会いたくなかったが、高原の家にいきなり直帰すると変に思われるし、ベルゼブブが打開策の情報を持っている可能性もゼロではないのだ。しょうがない。

「あっはははははははは！　高原の魔女アズサならぬ、高齢の魔女アズサじゃな！」


爆笑された。


「シンプルに失礼！」

オブラートに包まれるのも微妙な気持ちだったけど、笑われるほうがやっぱりムカつくな。

「どうやら、縮《ちぢ》んだ気がするのう。杖を持つとよく似合うのじゃ」

「ねえ、これってどうにかならないものなのかな？」

出会った相手全員に対処法を聞いていくつもりだぞ。このまま諦《あきら》める気はない。

「ならん。たったの一週間ほどじゃろ。耐えよ。その体で過ごせば、今後、ほかの老体の者を敬《うやま》う精神もはぐくまれるじゃろう。一種の社会勉強じゃ」

「私よりはるかに年季の入った口調の奴《やつ》にそう言われるの、変な感じだな」

しかも、のじゃのじゃ言ってるくせに。

「まっ、どうしようもないなら帰るよ。体が硬いけど、動かないってわけじゃないし」

自分が自転車だとすると、油が切れてスムーズじゃないって感じ。かといって、壊れている場所はないのだ。

「そうじゃな。……ん、いや、待て。ちょっと待つのじゃ」

ベルゼブブに止められた。もしや解決法があるのか？

そういえば、以前に子供になった時に世界樹のてっぺんの薬の店に行ったな。あそこになら薬もあるってこと？

「せっかくじゃし、わらわと戦ってみよ。その姿なら勝てそうな気がするのじゃ」

「自分の都合しか考えてない！」

ちょっとでも期待した私がバカだった。

「あのね、それで私が勝ったら、『ベルゼブブはおばあちゃんに負けるぐらい弱い』だとか言いふらせるわけだよ？　弱くなってそうなところを狙うのって、どうなの？」

「話は最後まで聞け。おぬしだって、今の姿でどれぐらい戦えるのか、どれぐらい活動できるのか知っておいたほうが安全じゃろうが。普段の八割の力しか出せぬのか、五割の力だけなのか、把握しといたほうがよい」

「なるほど。それは一理あるな」

もし大幅に能力が落ちているなら、自分がそれを知らないままというのは危ない。

というわけで、ベルゼブブの家の庭で対戦することになった。

私はベルゼブブと向き合う。

「さあ、いつでも来い」

「…………」

「私の準備はできてるよ」

「…………」

全然、ベルゼブブからの攻撃がない。

「ものすごく攻めづらいのじゃ！　こっちが悪いことをしておるような気になるのじゃ！」

「そんなこと言われてもどうしようもない！」

好きでこの姿をしているわけではないのだ。

「悪いが、そっちから攻めてきてくれんかのう。そのほうが正当防衛っぽさが出て気が楽じゃ」

「私もあまり動きたくない。あんまり体を動かすと、グキッときそう」

極力、じっとしたまま勝利を決めたい。

「ややこしいのじゃ！　もう、行くぞ！」

結局、ベルゼブブが正面切って突っ込んできた。

それでいい。

迎え撃つ私は、一歩も動かない。

むしろ、一歩も動きたくない！

最小限の運動量で終わらせたいという意識がやけに強くなっている。おおげさに言うと、肉体が精神を規定している！

そして、ベルゼブブの姿が迫ってきた時――

ベルゼブブの額《ひたい》目がけて、右の拳《こぶし》を突き出す。


「ふええ～～い！」


一歩踏み込んで、拳を出したほうが威力は上がると思う。でも、動かないことのほうが大事なのだ。

バシッと拳が当たる。おお、こんなのでも当たるんだ！

次の瞬間、

「かなり痛いのじゃーっ！」

ベルゼブブが吹き飛んだ。

「ママ、すごーい！」『力は以前と変わらないように見える」

娘の応援はやっぱりうれしいな。

……ただ、どっちかというと、孫の応援を受けているような気になってくる。

私はライカのほうに目を向けた。

「ねえ、ライカから見て、どうだった？」

「はい。率直《そっちょく》に言いまして、師匠《ししょう》というより老師という表現が似合うなと思いました」

視点が独特！

「肉体が衰《おとろ》えたようでも、精神は衰えないということですね！　今のアズサ様は老師と呼ばせてください！」

「拒否します！」

そういうのは求めてない。

すると、吹き飛ばされていたベルゼブブが不満げな顔で戻ってきた。

「なんじゃ、おぬしの『ふええ～～い！』という声は！『えいっ！』とかにせよ！　あれで気が抜けてしもうたわ！　しかも威力は普段と変わらんではないか！」

「そういや、弱々しい声だったな……」

人間、気合いを入れる時はいつのまにか声が出てしまうのだが、その声は今の姿の影響を受けるようだ。

「私としては、力はそんなに変わらないということがわかってよかったよ。そんなところまで低下させる魔法ではないんだね」

ベルゼブブに勝てるようなら、日常生活で危機に陥《おちい》ることはないと考えていい。

「そうじゃの。しかし……今のおぬしに負けるのは心理的に屈辱感があるのじゃ……」

「勝負を挑んだのはそっちじゃん」

見た目が弱そうな相手と戦うことには、負けるとみっともないというデメリットもあるのだ。

◇

本音を言うと極力戻りたくなかったが、私は高原の家に戻った。

「あら、年を取った杉みたいな姿になってるわね」

まず、サンドラに植物を基準にして言われた。たしかに杉は長生きのがあるな。

「お師匠様――のお祖母《ばあ》さんですか？　よく似ていらっしゃいますね」

ハルカラには素で間違えられた。

「ハルカラの姉御《あねご》。姐《ねえ》さん本人ですよ。ほら、魂がまったく一緒ですから」

ロザリーから見ると、いつもどおりらしい。というか、私の姿じゃなくて魂を見て暮らしてたりする時もあるってこと？　ちょっと、それは落ち着かないな。

「ご主人様、少し老《ふ》けましたね。老けたご主人様とも力比べをしてみたいのだ」

「フラットルテ、悪意がないのはわかるけど、老けたって言うのは禁止」

これは老けたという次元ではないのだ。


姿が変わって三日が過ぎた。

その間に起きた変化（正確には気づいた変化か？）がいくつかある。

「食欲が落ちた。食欲はあるんだけど、食べる量は減ったな。とくに肉やフライはそんなにいらない」

朝食が終わったあとのダイニングの席で私は言った。

体が少ないカロリーで十分だと言ってきている。

「アズサ様、大丈夫でしょうか？　もっと肉を食べないと体力が落ちてしまいますよ？」

テーブルの向かいで話し相手になってくれているライカにそう心配された。

「さすがに魔法がかかってるせいでしょ。新陳代謝《しんちんたいしゃ》が落ちてる気がするし、あまり食べなくていいと体が判断してるんだと思う」

「あと、単純にアズサ様の運動量が減っていますからね。昨日もほぼ一日中、ダイニングで座ってらっしゃったような」

「それも、あるかも……」

動こうという気持ちにならないのだ。

家にこもっていたいという気持ちともちょっと違っていて、動きをできるだけ節約したいと思ってしまう。

「何か体に異常が起きていたら、すぐにおっしゃってくださいね」

「そこまでの心配はいらないと思うよ。攻撃力みたいなのはベルゼブブも以前と同じって言ってたし、どこか痛いところがあるわけでもないし。病気をしてるわけじゃないんだ。体はあくまでも健康だから大丈夫」

ずっと座っていてもよくないので私は立ち上がった。

「どっこいせ」

言った瞬間、私はしまったと思った。

立ち上がる時に、どっこいせって言っちゃった！

これは若い人間は絶対に言わないやつ！

「アズサ様、やはりお体が大儀なのでは……？」

「気にしないで、気にしないで！　むしろ忘れて！」

娘を育てている気持ちもあったぐらいだし、十七歳だという意識はなかったが、かといってそんな老齢のつもりもなかったので、こういう変化は落ち着かないな。

今度から「どっこいせ」とか「よっこらしょ」とか言わないように注意しよう……。

「さて、今日のお昼は私の当番だったね。何を作ろうかな」

「アズサ様、刃物を持つのは大丈夫でしょうか？」

「ああ、反射神経みたいなのは悪くなってないはずだから、事故はないと思うよ」

でないとベルゼブブと戦えなかっただろう。

攻撃力だけ高いままでも動きが遅すぎてよけられるようじゃ、無駄《むだ》だからね。

ベルゼブブに攻撃が入ったということは、手も足も使えるということなのだ。

実際、問題なく料理を作ることもできた。

ただ、評判はよくなかった。

「ママ、今日の料理、なんか**茶色い**のが多いよ」

まずファルファに指摘された。

「えっ？　サラダはないかもしれないけど、そんなことはないはず……」

「こっちは干した大根《だいこん》をくたくたにしたもの。そっちはキノコをくたくたにしたもの。さらに山菜をくたくたにしたもの。くたくたにした料理が多い」

シャルシャに言われて、理解した。

たしかに全体的に地味でさっぱりした料理でまとまっている！

「ご主人様、料理にインパクトがないのだ。これだと神官が食べる料理みたいなのだ。食べた気がしない……」

フラットルテからもクレームが来た。

そういや、鶏《とり》のフライみたいなものはまったく作ってなかった。

「ええとね……食べ足りないって子はあとでお小遣《こづか》いあげるから、それでフラタ村で何か買ってきて」

だが、またしても言ってから気づいてしまった。

お小遣いをあげようとするのも、おばあちゃんぽいな！

まずい。行動がだんだんとおばあちゃんらしくなってきている。

あと数日の辛抱《しんぼう》だ。あと、数日。

その数日よ、早くやってきて！


「あ、そうだ、ハルカラ」

「はい、お師匠様、なんでしょうか？」

「ハルカラ製薬って飴《あめ》は作ってないの？　やたらと飴が舐《な》めたくなってね」

そういや、おばあちゃんってやたらと飴の袋を持ってたなと思ったのは、口に出してからだった。

肉体が精神にも影響をおよぼしている……。

「や、やっぱり飴はいらない！　耐えます！」

「そうですか？　ハルカラ製薬のノド飴ならありますけど」

そこそこほしいけど、ここで誘惑に負けてはダメだ！

「大丈夫！　気晴らしに散歩に行ってくる！」

家の外に出ると、サンドラが横をついてきた。

「何？　今日は、私はフラタ村まで行くつもりはないけど、いい？」

「いいわよ。ついていかないと、人間ってたまに家を出ていって、そのまま帰ってこない時があるから不安なのよ。見守りよ、見守り」

徹底的に家族に心配されている！

少なくとも、この家に住んでいるかぎり、老後の生活も安心だとプラス思考で考えるようにしよう。

◇

おばあちゃんになってから六日後。

そろそろ元の姿に戻るのではなかろうか。

私はまたダイニングの椅子に座りながら、そう考えていた。

噂《うわさ》になりかねないから、フラタ村に出ていくつもりはどっちみちなかったが、出歩きたいという欲もないのだ。これも元の姿に戻れば変わるだろう。

残り一日か、あるいは残り三日か、このままゆっくりしていればいい。

しかし、相手のほうから高原の家にやってくるということはあるのだ。

ドアがノックされて、そばにいたロザリーがそちらのほうに近づいていった。

入ってきたのは、洞窟《どうくつ》の魔女エノだった。

「お久しぶりです。アズサさんは――――わわわわわわっ！」

当然のように驚かれた。そりゃ、何事かと思うよね。

「先輩、何かありましたか？　もしや、過去に私が高原の魔女の偽物《にせもの》をやっていた時の姿のほうが実際の姿に近かったとか……？」

以前、エノは私の偽物をやって全国を回っていたことがある。

その時、エノは私の姿を知らなかったので、高齢のいかにもベテランという風貌《ふうぼう》の魔女をやっていたのだ。

「違う、違う！　一時的に姿が変わる魔法を受けちゃっただけなの！」

私は事細かにエノに説明した。

「そうですか……。世の中、いろんな魔法があるものですね……」

エノは私の話を最後までしっかり聞いてくれた。まるで自分のことみたいに真剣に聞いてくれているると思った。

だが、そこでエノは意外なことを言った。

「でも、その姿はその姿で貫録があって悪くはないですね。大物って雰囲気《ふんいき》があります」

「えっ？　この姿がうらやましいの？」

エノの言葉は、これまで私が聞いたことのない種類のものだった。

「今すぐなりたいとは思いませんが、将来的にはそんなベテラン魔女になりたいですよ。魔女界の重鎮って感じがあるじゃないですか。年をとって見えても、その見た目なりのかっこよさがあると思うんです。でなきゃ、私が先輩の偽物をやった時だって、あんな姿をとらないですよ」

「言われてみればそうか」

エノが私の偽物をやってた時は相当な高齢の見た目だった。

高原の魔女が高齢の見た目という情報があったわけでもないのに、あの姿にしたということは、そういう魔女も悪くないとエノが考えていたということなのだろう。

「そ、そう言われると悪い気もしないな」

人間というのはいいかげんなもので、褒《ほ》められると気分も変わってくるものである。

「さて、先輩、今日はいくつか試供品を持ってきたんですが――」

エノは小さいビンをテーブルに並べていく。エノもお店をやっているから、来る時はそこの商品を持ってくることが多い。

「――そんなことより、提案したいことができちゃいました」

「提案？」

新商品の共同開発でも持ちかけられるのだろうか？　私はかまわないけど、エノの商売敵であるハルカラが嫌な顔をしそうだな。

でも、エノの提案は全然違うものだった。

「ちょうど姿が変わってるので身バレの心配もないですし、一度、魔女の懇親会《こんしんかい》に来ませんか？」

「魔女の懇親会？」

なんか面倒そうな会だなと私は思った。

「あっ、面倒そうだなって、やっぱり顔に出ましたね」

エノに即座に察せられてしまった。でも、気づかれないよりは、気持ちがストレートに伝わる分、いっそ楽ではある。

「だから、これまで先輩をお誘いするようなこともしなかったんですよ。魔女の中には交流をしない層もかなりいますし」

魔女である私が言うのも変だけど、世の中の平均よりは変わり者が多そうではある。あと、一人で黙々《もくもく》と自分の道を究めるぞというタイプの魔女もいるはずだ。

「私も懇親会に出るようになったのは、薬が売れて名前も売れるようになってからだから最近のことです。まったくの無名だとよりハードルが高いじゃないですか」

「そのあたり、生々《なまなま》しいな……。でも、言いたいことはわかる」

懇親会って孤立無援で突撃するのは気が引けるよね。

一緒に行ってくれる友人がいたりしないと厳しい。でないと、会場で話す相手がいないまま、ぽつんと立っているなんてことになりかねない。誰にでも話しかけられるタイプの人ならそんなこともないいんだろうけど。

そんな時、名前が知れていれば、誰かから話しかけてもらえる確率だって上がる。

逆に言うと、誰かわからない謎《なぞ》の人に話しかける人なんてほぼいないはずだ。話題だって何が盛り上がるかもわからないし……。

なので、洞窟の魔女として名前が売れてきたから、懇親会に出るようになったというエノの気持ちは理解はできた。

むしろ懇親会なんてあったんだな……。そんなものの存在すらずっと知らずに過ごしてたや。

そこにサンドラが外の菜園から屋内に入ってきた。

サンドラはエノを見て、「げっ」という声を出した。ストレートに警戒している。

「ああ、やっぱり怖がられてますね。いくらなんでも、先輩の同居人に何もしないですって」

「サンドラはそこそこ人見知りも激しいから、半分はそれが理由だよ」

サンドラは小さく手を上げて、あいさつみたいな意思表示をして、廊下のほうに向かった。多分、ファルファとシャルシャの部屋に行くのだろう。

でも、サンドラが来たことで結果的に昔のことを思い出せた。

「サンドラ争奪戦の時に、あなた、いろんな魔女と共闘してたよね。その時に知り合った魔女たちがいるの？」

「ですよ。懇親会で会う予定です。それで、先輩、どうでしょうか？　今の姿ならどうせバレませんし、偵察のつもりで来ませんか？」

何のための偵察なんだよと思ったけど、エノの意図は割とわかる。

理由をつけることによって、私の参加ハードルを下げようとしてくれているのだ。

一回ぐらいは行ってみてもいいんじゃないですかということだろう。

娘がどこかに行きたいと言えば積極的に行くけど、自分が関わる魔女業界の集まりはずっと避けていた。

魔女って基盤ができていれば、一人でも仕事は成立するんだよね。

仕事を紹介してもらうためにコネクションを作らないとダメというようなこともない。

そうなると、私のほうで参加のメリットはなくなる。

むしろ、メリットどころか、デメリットが大きい。

まず、ほかの魔女との付き合いがないから、単身で突っ込むと、ぼっちな空気になるおそれがある。

それと、ぼっちとは真逆の心配なのだが、あの高原の魔女かとやたらと話題にされるおそれも高かった。

高原の魔女の知名度だけはやけにインフレしているのだ。

懇親会に顔を出したことがきっかけで、また、いろんな魔女が高原の家に押しかけてきても困る……。

そのあたりのことは、エノもよくわかっているのだと思う。

だから、私が別人の姿をしている時に、様子だけでも見たらどうかとエノは言っているのだ。

「魔女の集まりですから、陽気すぎてとっつきにくい奴はいませんよ。暗いところが好きな人のほうが多い業界ですから。どうですか、偵察です、偵察」

エノが猛プッシュを仕掛けてくる。


行ってみるかな。


この姿になってしまってから高原の家からちっとも外出してなかったし。

どうせアズサとは別人として振る舞えるのであれば、適当にやっても大丈夫だろう。

「まっ、いいか。行くだけ行ってみよう」

私のほうが折れた。

「やった！　じゃあ、今日のお昼からなんで、準備をお願いします！」

「やたら、すぐだな！」

「むしろ、懇親会に行く途中に先輩の家を寄ったわけです。ここから比較的近いところで開催されるんです」

たしかに、近い地域での用事をまとめてこなすというのは合理的だ。

私は席を立つ。

「ふう、よっこいしょ」

あっ、また口に出してしまった……。

◇

エノの乗ってきたワイヴァーンに私も乗せてもらって、魔女の懇親会が開かれている土地に行った。

会場にはすでに魔女がわらわらいる。

予想していたことだけど、ローブを着ている率が高い。

ただ、魔女が多いからといって不気味《ぶきみ》な空気があるというわけじゃなかった。

「ああ、そっか。不老不死の魔女はずっと若い人も多いんだな」

見た目の平均年齢は二十代後半ぐらいなのだ。

「それはありますね。ご老人の集まりという空気はないです」

一方で、意図的にそういう姿で商売をしているのか、見た目が九十歳ぐらいの人もいる。

「ベテランの人は強そうな空気を出すためにああいう姿をとっているんです。わざとととことん老いた姿をしてますね」

「なるほど。わからなくもない」

かっこをつけないとダメな局面というのも人生ではあるのだ。

ただ、一つエノに文句《もんく》を言いたいことがあった。

私はエノの服を引っ張る。

「ねえ、エノ、あっち見てくれない？」

私が視線をやっている方向では、見た目が若い魔女四人が集まっていた。

「いや～、赤い月のお仕事どうでした？」「繁忙期と重なって、けっこう体力使いましたよ」「ああいうの、重なりますよね」「景気付けに飲みに行きますか！」「いいですね。コスパのいいハーブ酒やってる店知ってますよ！」

なかなか陽気にやってる！

しかも、そういう集団がいくつも作られている。

その隣でも、「今度、浜辺で亀の甲羅《こうら》を焼いて占うついでに、肉も焼いて盛り上がろうと思うんですが来ます？」「それ、最高じゃん！」みたいな話をしている。

「もっと暗い空気かと思ったら、そんなことないじゃん！　業界人っぽい会話や、やたらと陽気な人っぽい会話してるじゃん！」

海で肉を焼くなんて、それはビーチパーリーとかいうものだぞ。

「うっ……。そ、そんなことないですよ……。と、とくに業界人や陽気な人が多いということはない、です……。はい、あちらが記帳場所なので、名前を書きましょう……」

陽気な人は少ないから全然平気だよと言われて行ったら、やっぱり居づらい雰囲気だった。


これぞ、懇親会あるある！


人付き合いをしてなさすぎる人間にとっては、こういうのがきついんだよな……。魔女同士のつながりがないいんだよ……。

「でも、今回の懇親会は本当にほとんど話さなくて済むんです。そこは保証しますから」

「話さなくて済む？」

よくわからないまま、記帳するところに、アズ・リリリと偽名を書いた。

名前は適当でいいや。以前もリリリという偽名を使ったことがある。ちょうど、エノと出会った時だったっけ。アズサの偽物の前にアズサと名乗って出づらかったので、適当に名乗った。

アズザルドというドラゴンの設定だった時といい、私ってけっこう偽名を使っている気がする。

「記帳はお済みですね。では、これをどうぞ」

受付に魔女から、木のハンマーを渡された。

エノも同じようにハンマーを受け取っていた。

「ん？　エノ、これは何……？」

なぜにハンマー？

記念式典で酒樽《さかだる》を叩《たた》いて割ったりするのだろうか？　あの風習ってどこにでもあるのか？　仮に風習があったとしても、突如出席した立場の人間が割ることはないよな。ああいうのって、いろんな業界のお偉いさんが割るもののはず。


「今回はワニ叩きイベントをやるんですよ。体を動かすのがメインですから」


「ワニ叩き？　私の知らない概念だ」

神殿の池に棲《す》みついたワニのトラブルを解決したことはあるけど、またどこかにワニが棲みついてるのだろうか。

「先輩、ちょうど司会の人がルールを説明してくれるようですよ」

たしかに一人だけ、司会者らしい燕尾服《えんびふく》の魔女が空に浮かんでいた。

「はい、魔女の皆さん、本日は懇親会にお越しいただきまして、誠にありがとうございます。とくに今回は七千八百六十回という節目の回に当たります」

回数が多いから十回刻《きざ》みだと節目感がない！

前世でもあったな。「今年はこの画家の生誕二百六十年の節目に当たり～」みたいな台詞《せりふ》。二百六十って節目なのかと内心で思ったことがある。

「今回はワニ叩きをやりたいと思います」と司会の魔女が続けた。

一部の魔女から「待ってた！」などと声が上がる。

それなりに知名度があるイベントらしい。

「ルールは簡単。二人一組で制限時間以内に多くのワニをハンマーで叩いてもらいます」

いや、ワニなんてそんなにいないだろ。

そう思っていたら私たちの足下に何匹もワニが現れた。

「意外とたくさんいた！」

少しびくりとしたけど、明らかに幻影だ。

よく見ると、いまいち立体感がない。

それに絵に描いたワニみたいにポップなデザインなのだ。

リアルなワニの怖さみたいなものはない。

「このワニの幻影はハンマーで叩くと消えます。そしてポイントが加算されます。成績上位の組には、賞品も用意しております！　さあ、二人一組でふるってご参加ください！」

理解はした。

広いフィールドで行うモグラ叩きみたいなものだな。

しかし、どこか妙だなと思うところもある。

これ、二人一組でないといけない理由ってあるか？

確実に一人でもできる。モグラ叩きだって一人で遊べるゲームだった。

「知り合いが周囲にいないという方、ぜひ、近くの魔女に声をかけてみてください。こういう場ですから、知らない人とも親睦《しんぼく》を深めていただければ幸いです！」

その心づかいは余計なお世話！

主催側のやりたいことはわかる。

懇親会なんだし、交流してくれということなんだろう。でなきゃ、何のために同業者で集まってるかわからないし。

でも、一人でいるのに慣れている人間にはやっぱり難易度が高いって……。

ふと、エノを見ると、やけに青い顔をしていた。

「こ、懇親会ってこういうことをしてくるんですよね……。知ってる顔が皆無というわけじゃないんですが、二人一組でやれとなると、また違うじゃないですか……。勘弁してほしいですよね……」

ああ、そういうことか。

「エノ、これを警戒して私を呼んだんだね」

「ないかと言われれば、あります」

エノはこくりとうなずいた。

そこは正直でよろしい。

「補足しますと、知り合いがいないわけではないです。いるにはいます。でも、堂々と友達と言える人かというと、怪しいところもあるわけです。あと、四人や五人だと気楽に話せるけど、二人だけになったら話すことがないよねというケースもあるじゃないですか。ああいうのが嫌なんですよね……」

かなり早口で言われた。

「わかる。すっごくわかる」

こういう二人組を作るのって、とことん陽気な人たちのほうがずっと気楽にやれるんだよな。

案の定、さっき四人組でしゃべってた人たちはあっさり二つに分かれて、「優勝するぞ！」なんて言っている。

それに対して、そこまで陽気じゃない魔女たちが五人集まっていたところでは、一人余ってしまうせいで気まずい空気が発生していた。

「多分、あっちでカーミラさん余ってると思うので聞いてきますね！」「そうだ、そうだ！　私も知り合いのルイタルアさんがいるかもしれないので探してきます！」「いえ、そこまでしていただかなくても大丈夫ですよ！」

きっちり二人組にしようとすると、ああいう問題が発生しちゃうんだよな……。

もっとも、それはエノにとっては決して他人事《ひとごと》ではないのだ。

「というわけで、二人一組で戦ってもらえませんか、高原の魔女様……」

エノは弱気な態度で確認を求めるように話してくる。

ここで拒否したら非道だよね。

「了解した。むしろ、これで私が一人ほっぽり出されてたら、こっちが怒ってた」

ここは魔女の先輩として、しっかり支えてあげようじゃないか。

あと、どんどん知らない魔女のところに顔を出しに行くよりは、（一緒にやる相手がいる場合は）ゲームをやるほうがいいや。

ワニたちはここから森に入ったところにたくさん出現するらしい。

広場だと障害物がなくて面白みもないしな。

「では、先輩、制限時間までにたくさんワニを叩きますよ！」

「よーし。任せろ！」

数分のうちに、ほかの魔女たちもペアを作り終わったようだ。人を探している姿がなくなった。

司会者が「準備はよろしいですか？　まだの方はいませんか？」と聞いているが、私はまだですとは言いづらいぞ。


「準備ができたと判断します。それじゃ、スタート！」

その司会者の声とともに――

魔女たちが一斉に森に入っていく。

一部の魔女は空を飛んだりもしていたが、大半は走っている。

薬学知識専門で魔法がほぼまったく使えない魔女なんかもいるし、体を鍛《きた》えて深い森や山に入っていく魔女もいるから、運動会っぽい空気が出ていた。

その中で私はというと、

――やけにゆっくりと歩いていた。

開始早々、なんか出遅れた感じになっている。

先に出ていたエノがおかしいと思って、すぐに戻ってきた。

「ちょっと！　もたもたしすぎですよ！　森までは急いで来てくださいよ！　もしかして激しい運動もできなかったりします？」

「そういうわけじゃない。足腰に影響はない」

体が石になっているわけではないので、いくらでも動けるのだ。それは間違いない。

「動けはするんだけど、動きたいという気持ちにならない！」

走りたいどころか、じっとしていたいのだ。

このことは家族には再三説明したんだけど、まだエノの理解は得られていなかった。

「とにかく、森にまでは入ってください！　勝負になりませんから！」

「……うん。行くよ、行く。行けたら行く」

「それは行かない人が言うやつです！」

バレたか、心の底から動くのがダルいんだよな。

「多分、制限時間までには森に行けるから」

「制限時間以内に辿《たど》りつけばいいってものじゃないですから！　早目に移動してワニを叩かないといけないんです！　もう、連れていきます！」

エノに引っ張られて、私はその勢いで走り出した。

「なんか、大変です……。こんな問題があるとは……」

「お～、速いのう、速いの～」

「心は若いんだから、口調までご老体みたいにしないでください！」


結局、エノに引っ張られて、森には入った。

近くにもワニが姿を見せている。あれを叩けばいいのだ。

「ほい。ほい。ほい。ほいっとな。ほいよ」

私はワニを的確に叩いていった。

このあたりは昔取った杵柄《きねづか》というか、スピーディーに反応して数を稼げる。

前世で、こういうゲームをしたことがあるからだ。

叩いた数を競うという、シンプル極《きわ》まりないルールだが、だからこそ子供でも楽しめた。

「先輩、お見事です！　ハンマーが目にも止まらぬ速度で動いてます！　やっぱり高原の魔女の名前は伊達《だて》じゃないですね！」

「ほっほっほ。先輩を舐めてはいかんぞよ」

だんだん自主的におばあちゃん言葉を使うようになってきた。

若く振る舞っていられたのは見た目が十七歳だったからで、見た目がおばあちゃんになってしまうと、振る舞いもそれに合わせたほうが落ち着くのだ。

すでに三百年生きてるしな……。むしろ、今の私の見た目こそ本来の私の姿なのかもしれない。

それはないか。三百歳の一般人が存在しないしな……。

「ほっ。ほれ。ほいな。ほっ、ほっ」

私は森のワニを次々に倒していく。

作業みたいなものだけど、かえってはまると面白い。

「あの、先輩、大変動きが素早くてありがたいのですが……」

「うん？　どうかした？」

何の問題もないと思うんだけど、意見したそうな反応だな。

「さっきから、地面のワニしか倒してないです……。木の枝のあたりから顔を出してるワニなんかも叩いてください！　地面専用要員になってます！」

「あっ、いつのまにか下しか向いてなかった！」

そういや、自然と猫背がきつくなってるんだよな。

そのせいか足下ばかりを注力していたらしい。

この世界にはスマホなんかもないので、うつむくこともなくて、背筋も伸びてたはずなんだけど、無意識のうちに前かがみになっていた。

「あまり背筋を伸ばしたくないので、このままいかせてほしい」

「えー！　このワニは幻影だから、空中にも出てきたりするんですよ！　もっと視野を広く持ってくれないと取り逃がしが多くなります！」

「それはワニとしておかしいだろ」

「ゲームだから飛ぶんです！　ほら、そこにも一匹浮かんでます！」

「そっちは任せた。私は地面のだけを倒す。せっかく二人いるんだし、連係プレー、連係プレー」

「何かが違う気がします……」

エノは納得がいってないようだったが、私のほうが折れなかったので諦めたらしい。

人間、年を取ると頑固《がんこ》になるのだ。やむをえない。

頑固というか、今更、生活に変更を加えるのが面倒なんだよね。

この姿になって、そういうのがわかってきた。

肉体って想像以上に性格にも影響を与えるのだ。

私は以後も、足下のワニだけに注力してハンマーを振り下ろしていった。

だが、またしても問題が発生した。

「ちょっと休憩しよう。どっこいしょ」

私はそのへんの切り株に腰を下ろした。

「ああ、ちょうどいい高さの切り株だ～」

「先輩、タイムオーバーまでちゃんと動いてください！　絶対に疲れるような運動はしてないですよ！　まだ序盤のほうですし！」

エノが悲鳴を上げている。ガチで勝ちに行くタイプのプレイスタイルらしい。

こういうゲームでアツくなる人もいるので、不思議はない。家族だとハルカラがそういう性格だ。

それと、フラットルテが負けず嫌いだな。

「そのはずなんだけど、体が完全に休みたがっている」

「体力まで魔法のせいでなくなっているんですか？　そんなことはないですよね？」

「だから、体力が失われたりはしないの。ただ、休みたくなってるの。とくに座れるところがあれば、よし座ろうって思うの。あっ、ワニだ」

目の前にワニが出てきたので、座ったまま、ハンマーで叩いた。

「あっ、そっちにも」

また至近距離にワニが出てきたので叩く。

叩く速度自体はすごく速い。

「座っちゃったことで、さらに攻撃範囲が狭くなってます！」

手が届く範囲しか攻撃しないからな。ただ、そのあたりのワニは確実に粉砕《ふんさい》するぞ。

「こういうのは楽しめればいいんじゃないの？　懇親会なんだしさ」

ゲームに熱中するのはいいことだけど、全身全霊でやるものでもないだろう。

「くそ〜。先輩と組めば余裕で優勝できると思ってたんですけどね……。甘かったか……」

「おい、その目論見《もくろみ》は聞いてなかったぞ」

「だって、懇親会のくじ引きとかって、かなりいいものが当たりがちじゃないですか！　今までもけっこういいものがもらえてたんです！　だから、このワニ叩きの上位入賞者もいいものがもらえると思うんですよ！」

懇親会の賞品が無駄に豪華というのは、わかる。

狭い仲間内だけの集まりの会じゃないところで、賞品がショボいものばかりだと、全体の空気が悪くなるからな。

場合によっては数万円するゲーム機や家電、宿泊チケットが普通に当たるよね。

「だからって、賞品めあてで私を誘ったのかえ？　それはイラッとするぞよ。ほい、ほい、ほい」

文句を言いながらも手が届くワニはすべて駆逐する。あと、また口調が年がいったものになった。

「組む相手がいなかったのは本当です！　賞品はもらえたらラッキーぐらいの気持ちです！」

それはウソじゃないとは信じよう。

エノも魔女の懇親会に行くようになってから日も浅いはずだし、二人一組で参加となると二の足を踏むというのもわかる。

「けど、私は動かんよ。腰を上げるのが面倒なんだよね……。面倒ってことがこんなに強敵だったとは……」

「先輩、だんだんとおばあちゃんの思考が強くなってますよ」

それなりの期間、老いた体になっているからな。


今、無性に酢の味の昆布《こんぶ》が食べたい。しかし、いくらなんでも昆布は誰も持ってないだろう。

いや、昆布がないとしても――

「ねえ、エノ、飴を持ってない？　無性に舐めたい。本能が欲している」

「えっ、飴ってそんなにとてつもなく食べたくなるジャンルの食べ物ですかね？　常に脇役《わきやく》にいる側じゃないですか？」

「そのはずなんだけど、やけに食べたいんだよ。脂っこくないし、舐めてれば自然と溶けるし」

「はあ……。それも体の変化に基づくもののようですね」

この反応だと飴はなさそうだな。そりゃ、飴を常備している人なんてそうそういないか。

しかし、私はついていた。

エノは何か小さい袋を出してきた。

「試供品のハーブ飴ならありますよ。これでよければ」

「それだっ！」

エノもまさに飴を持っているタイプの魔女だったのだ！

私は飴を一つ、口に入れた。

力が全身にみなぎると言うとおおげさなのだけど、やる気は大幅にアップした気がする。

「よっこいせっと……」

私はゆっくりと切り株から立ち上がる。

「先輩、立ってくれたのはありがたいんですが、猫背にもほどがありませんか？」

うん、その自覚はある。でも、腰が痛いわけではないのだ。

「エノ、このほうがね、効率がいいんだよ」

私はハンマーをさっと前方に振り下ろす。

現れた瞬間のワニを叩いた。

さらに左奥に現れた直後のワニも叩く！

「速い！　出現した時にはもう手が伸びている！　まるで体がすべて覚えているような反応です！」

「そういうこと。地面に出てくるワニを片っ端から叩くのはこのほうが都合がいいの。さあ、行くよ」

「行くってどこへ？」

「もっと歩き回れる場所まで移動したほうが叩ける数も増えるから。エノは木から出てくるような奴をお願い！　ここから本気出すよ」

「わ、わかりました！」

今の私はかなりやる気になっている。

「あ、でも、ちょっとだけ待って……」

「なんですか？　その姿勢、かえって腰に負担かかりそうですけど」

「飴の袋ごと、ちょうだい。途中でまた動きたくなくなりそうだから」

リスクは事前につぶしておく。

エノは飴の袋を三つも渡してくれた。


そこから先は、私は黙々と働いた。

姿勢は悪いが、これこそ、地面に出てくるワニを叩くには最適！

そして、表情はなんかつまんなさそうに見えるかもしれないが、別にそういうわけではない！

「ほい、ほい、ほい、ほいほいほいほいほいほいほいほいほい」

ハンマーがすごいペースでワニを狙う。

ワニは次々にハンマーの餌食《えじき》になって消滅する。

これぞ、この道六十年のベテランみたいなおばあちゃんがやる匠《たくみ》の仕事！

貝の殻《から》を開くのが異常に速いおばあちゃんとかいるよね。ああいうものに今の私はなっている！

顔だけはやけに無愛想だが、内心ではなかなか楽しんでいる！

エノはエノで黙々とワニを叩いている。

やがて私たちはほかの魔女たちの噂になっていた。

「あのおばあちゃん、すごいよ！」「完全にワニ職人！」「ババア、やるなあ」

「ババアって言った奴、覚えてろよ」

「ヤバい！　聞こえたぞ！」『逃げろ！、逃げろ！」

顔は覚えたぞ！　数日後には十七歳の姿に戻ってるからな！　見た目十七歳の元気な魔女が復讐《ふくしゅう》に来ても知らないぞ！

でも、今、倒すべきはワニ！

ワニを着実にこつこつと倒す！

どうも、なつかしさを感じる。なんでだろう？

いくらなんでも、ひたすらワニを叩いた記憶なんて持ってないぞ。

ああ、そうか。

これ、こつこつとスライムを倒す生活に少しだけ似ているのだ。

違いがあるとすれば、ワニが高頻度に出てくることか。

と、視界に虹色《にじいろ》に輝くワニが入った。

「先輩、そのワニは五十匹分のポイントが入るワニです！　その代わり高速で移動します！　絶対倒して――！」

エノがそう言い終わらないうちに私はそのワニも叩いていた。

「ワニとおぼしきものに気づいたら、手が動いてるから大丈夫」


高得点のワニを倒してから三分ほど過ぎた頃。

タイムアップを告げる不気味《ぶきみ》な鳥の鳴き声が、森の中いっぱいに響き渡った。

「終わりましたね！　結果発表が楽しみです！」

達成感があるのか、エノはハンマーを掲《かか》げている。

それに比べて、私のほうはというと、

「ふう、終わった、終わった。どっこらせ」

また近くの切り株に座った。

「いやいや！　ここで休まないでください！　結果発表をやるところまで戻らないと失格になっちゃいますから！　賞品ももらえませんから！」

「一度座ると、十分はじっとしていたい」

「飴を舐めて、もう一ふん張りしてくださいよ！」

「それとこれとはまた違うんだよね。ちょっと眠りたいから、二十分経《た》ったら起こして」

「さっきより時間が延びてます！　しょうがない！　運びます！」

エノにおんぶされて、元の場所に戻りました。

自分の中で手ごたえはあったけど、数字がそれを証明してくれた。

「一位はエノさんと、アズ・リリリさんのペア！　7524点！　二位と500点以上の大差をつけての勝利です！」

司会者にそう言われて、私たちは前に出た。

ほかの魔女たちになんだかんだで讃《たた》えられた。「あのおばあちゃんだ」という声もする。ババアと言う奴はいないようだったのでよかった。

一位になったエノは貴重な薬草セットをもらっていた。

見た目が雑草《ざっそう》の山でしかなくて地味だけど、魔女が魔女に送るものだからそれなりのものだ。

そのことはエノがものすごくうれしそうな顔をしていることでもよくわかった。

やっぱり勝負は勝たなきゃダメだな。参加賞だけじゃ、もったいない。


そのあと、懇親会の本番ではいろんな魔女に声をかけられた。

そりゃ、優勝したのだし、そうだろうとは思う。

とはいえ、高原の魔女で、今は魔法でおばあちゃんになっていますとは言えないので——

「ちょっと、思い出せぬのう。ふぉっふぉっふぉっふぉっふぉ」

記憶にないという設定でゴリ押しすることにした。

リスクヘッジは大切なのだ。ここで気がゆるんで正体を言ってはいけない。

「おばあちゃん、健康の秘訣《ひけつ》は何ですか？」

見た目が子供の魔女に聞かれた。いや、ここに来てる魔女、一般の感覚だとだいたい長生きしてると思うし、あなたも数百年生きてますなんてこと、普通にありそうなんだけど、それはそれとして。

「死なないことですかな」

我ながら雑な回答をして、その場を乗り切った。

いろんな魔女を見ることができたので、懇親会にもたまには出るのもいいかもしれないな。高原の魔女としての参加はしたくないから、また姿を変える必要がありそうだけど……。

無事に懇親会も終わり、ワイヴァーンに乗って高原の家に戻ることになった。

優勝して賞品がもらえたせいもあって、エノにはやたらと感謝された。

「本当に何もかもおばあちゃんのおかげです！」

「そこはおばあちゃんって言わなくていい。一応、懇親会の途中で魔法が解けたりすると厄介《やっかい》だなって思ったけど、そうはならなかったな」

こういうのって、慣れてきた頃に戻るものなのだ。この姿でずっと暮らすわけにもいかないから、しょうがないけど。

「たしかに、魔法で解呪できないということは時限系のものですから、近いうちに戻りますよ」

「だよね。長くて、あと三日ぐらいで戻るかな」

そんなことを考えていたら、夜九時ぐらいに高原の家に着いた。

◇

高原でエノとは別れる。娘たちは寝ているかな。

などと思っていたら、玄関の前でサンドラが埋《う》まっていた。

「うわっ！　びっくりした！　なんでそこにいるの！」

「アズサを待っていたのよ。さあ、早く入りなさい」

何かよくわからないが、とにかく促《うなが》されるままに家に入る。

すると、ダイニングでファルファとシャルシャが待っていた。

「ママ、おかえり～！」

「疲れの色は見えないようでよかった」

どういうこと？　わざわざ私の帰宅のためだけに待ってくれていたってこと？　そこまでしてくれなくてもいいのに……。

「さあ、アズサ、座りなさい」

サンドラに引っ張られるようにして、私は椅子に座った。

何がはじまるのだろうと思ったら、ファルファに肩を叩かれていた。

「えっ……？　肩叩き？」

「そうだよ、とんとん、たんとん、とんとんとん」

リズムに合わせて、ファルファは肩を叩く。

「じゃあ、次はシャルシャが」

シャルシャのリズムはちょっとズレている。でも、うれしいことには変わりはない。

「ところで、どうして肩叩きなの？」

「ママの見た目がおばあちゃんになった時に感じたんだよ。そういえば、ファルファたち、あんまりママをいたわってあげられてなかったかもって」

ファルファの声は思った以上に真面目なものだった。

「ママ、普段から若いからファルファたちの中でも、お姉さんみたいな気持ちで接してることが多かったと思うんだよね。でも、そのせいでいたわってあげるって気持ちは抜けてた気がするんだ」

「ことわざにもある。孝行したい時に親はなし。とんとん、たん、とんたん、とんと、とととん、とっととと」

「そのことわざは縁起が悪いからやめて」

あと、やっぱりシャルシャのリズムはおかしい。

今度は肩叩きはサンドラに変わった。

「というわけで、肩でも叩いたりもんだりしてやるかってことになったのよ。普段のアズサと比べれば、今のアズサのほうが弱そうだし、いたわりがいもあるでしょ」

「弱そうって言い方はどうかと思う」

サンドラの肩叩きはあまり力が入ってないけど、これはこれでいい。

「それにもうすぐこの姿から元の姿に戻っちゃうんでしょ。元の姿でやってもあんまり張り合いがないから今のうちにしようって待ってたのよ。この体のほうが疲れてそうだから」

そっか、娘にも気をつかわせてしまってたのか。

明らかに頑丈なのも考えものだな。

そりゃ、すでにピカピカの部屋をさらに掃除しようって気持ちにはなれない。

手助けをしてもらうには、手助けが必要そうな隙《すき》がいるのだ。

「じゃあ、今度からもう少し弱そうな面も見せることにするよ」

「そうしなさい。ずっと強いと面白味《おもしろみ》がないわ。守ってもらい続けるっていうのも、飽きてくるのよ」

娘との距離の取り方を考えるいい機会にはなったかな。

「ところで、私の弱点って何かある？」

せっかくなので私のほうから聞いてみることにする。

「ママ、その姿で魔女の懇親会に行ったんでしょ。名前はどうしたの？」

ファルファに逆に質問で返された。

「アズ・リリリって偽名にしたよ」

少し間を置いてからファルファが言った。

「ママ、ネーミングセンスが弱点だよ……」

◇

翌日のお昼に私は突然、元の姿に戻っていた。

目の前にいたライカに「戻ってます！」と言われなければわからなかっただろう。

うん、やっぱり、十七歳の体は軽くていいな！　ぴちぴちだな！

その日の夕飯は復活記念ということで、気合いを入れていつもよりたくさん品数を作ることにした。

でも……評判はあまりよくなかった。

「ママ、大根と鶏肉の煮物、ファルファ、あんまり好きじゃない……。鶏肉は別に食べたほうがよかったよ」

「人参《にんじん》とタマネギが入ってる煮物も薄味。というか、煮物が多い」

「うっ……。まだ、メニューの発想がおばあちゃん寄りになってるのかな……」

脂っこいお肉をばくばく食べたいという意識がないんだよな……。全体的につつましやかな方向性になってしまっている。

「くそう、昆布があれば煮物はもっとおいしくなるのに……」

「アズサ様、コンブとは何でしょうか？」

しまった、昆布はなかったか。

「ええと、なんだっけ、忘れちゃったなあ」

おばあちゃんになったことで、忘れたことにして誤魔化《ごまか》す手法が増えた。

それから先、完全にいつもの私に戻るまでは数日かかりました。

ミミックと散歩をした

She continued destroy slime for 300 years

ある日の夜、お風呂《ふろ》上がりの私は、ダイニングで冷たい水を飲んでいた。

「頭がちょっと『きーん！』とするけど、それもまたいい」

ダイニングではハルカラが先にいて本を読んでいた。今日はお酒が入ってないようだ。

なお、本のタイトルは『長寿企業はココが共通している』。絶対にビジネス書だな……。

そんなハルカラが本から顔を上げた。

「あの、お師匠様《ししょう》、ちょっと質問があるんですけど」

「うん。経営学に関することでないなら聞くよ」


「空き部屋のミミックって散歩させないんですか？」


まさかそんなことを聞かれるとは……。

一切《いっさい》考えてなかった。

「さ、散歩……？　ミミックを散歩？」

ミミックというのは、宝箱などに擬態していて、開けた人間を攻撃するモンスターだ。

ただ、この場合は我が家にいる特定のミミックのことを指している。

魔族の鑑定騎士団の一人でもあるソーリャの骨董品《こっとうひん》のお店、『古道具　一万のドラゴン堂』。その倉庫に私はなぜか怪盗キャンヘインと行くことになったことがある。

そこにたくさんミミックが棲《す》みついていて、そのうち一匹がなぜか私になついてしまった。

来たいならどうぞということで、私はそのまま家に連れて帰って、空き部屋に入れた。

動物の世話をするのは大変だし、遊びじゃない。

だが、ミミックの食事はホコリなので、食事の用意すら必要ない。

むしろ、空き部屋のホコリを食べてもらえるから、一石二鳥《いっせきにちょう》だと思ったぐらいだ。

それと、高原周辺にいない動植物が繁殖するとよくないけど、ほかにミミックなんていないから
ミミックが増えすぎて生態系が壊れることもない。

そんなわけで、ミミックが我が家に来たわけだけど……私たちの生活にあまり変化は起きていなかった。

当然と言えばそれまでなんだけど、ミミックは空いてる部屋でじっとしているだけなのだ。

別にほったらかしにしているわけではない。たまに部屋を見に行って、箱を開けて元気にしているか確認したりしている。しかし、交流と言うと、それぐらいなんだよね。

はっきり言って味気ない。

だが、ここでハルカラから散歩という単語が出るとは……。

「散歩も何も、ミミックってじっとしてるモンスターでしょ。いつも同じところから動いてないよ」

多分、数か月放《ほう》っておいてもミミックだから問題ないのだろうが、そこは連れて帰った者のモラルとして見回りはしている。

娘たちもたまにのぞきに行くし、空き部屋はミミック部屋として定着しつつある。

「でも、ミミックとはいえ、動く時は動くじゃないですか。ホコリを食べる時は自分から箱を開けるわけですし。だから、たまにはせっかくの高原で深呼吸だってしたいんじゃないかなと思いまして」

「ホコリを食べるモンスターが深呼吸したがるのかな……？」

どちらかというと、ひっそりこもることを好んでそうだぞ。

「宝箱だと勘違いした人が開けたら、容赦なく噛《か》みつくわけですよね。案外、見た目の印象と違って活動的なのかもしれませんよ」

ハルカラはなかなかこだわる。

たしかに一般人が誤って開ければ危険なモンスターなのだから、動く時はよく動くはずだ。

「なるほど。っていうか、ハルカラって小動物（？）にはけっこう気が回るよね」

ハルカラは自分の体に関しては毒キノコを食べたり、お酒《さけ》呑《の》みすぎたりとおおざっぱだけど、相手への気配りはよくできると思う。だから、会社の社長もつとまるのだろう。そこは私にはとても真似《まね》できない。

「お師匠様、やけに褒《ほ》めてくださいますね。わたし、自分が気が回ると思ったことはあんまりないですよ？　ミミックだってペットなわけですし、ペットなら散歩もさせてあげるべきかなと思っただけです」

ハルカラは閉じてある本をばんばん右手で叩《たた》いた。照れ隠しみたいなものだろう。

「まっ、散歩程度ならやってみて害があることじゃないし、試してもいいんじゃない？　ミミック本人が外出したくないなら出ようとしないだろうし」

そう、一番大事なのはミミックの気持ちを優先させることだ。

飼い主の自己満足になるのはよくない。

空き部屋に置いていることを、「飼う」と表現していいかは怪しいけど……。

「わかりました！　じゃあ、ミミックの部屋に行ってきますね！」

席を立つと、ハルカラはドタドタと廊下のほうに向かっていった。

ちなみにミミックのいる部屋のドアには、「キケン！　立入禁止！」という貼《は》り紙《がみ》が貼ってある。入った途端に襲われることはないけど、不用意に開けるのはやめたほうがいい。そこは細心の注意を払うべきだ。

幸い、娘たちは聞き分けがいいし、私やライカ、フラットルテが一緒にいない時に箱を開けないという言いつけを守っている。

ミミックは私には慣れていると思う（そうでなきゃ、ついてこなかったはず）。けど、娘たちに対してどうなのかはわからないからね。大ケガをしてからじゃ遅い。

あるいは普段は慣れていても、凶暴な日だってあるだろう。

長年飼っていたペットの動物に攻撃されたなんて話は珍しくないのだ。

廊下からはハルカラの声が響いてくる。夜だからよく響くのだ。

「おおっ、やっぱりアクティブですね～。元気がいい、元気がいい！」

この調子だとミミックも動き回りたいのかな。ミミックの一般的な性質がじっとしていることだとしても、中には運動好きの個体もいるだろう。

しばらくして、ハルカラが笑顔でダイニングに戻ってきた。

「お師匠様、ミミック連れてきましたよ！」

頭にかじりついているミミックを乗せて。

いや、乗せてるとは言わないな……。ミミックに噛まれて？

「大変なことになってる！　それになんで笑顔なの⁉」

どう見ても笑ってる場合じゃないぞ！

私はリアルタイムで事故を目撃してるぞ！

「ほら、じっとしていられないぐらいなんですから、これは外だって楽しめますよ～」

「だから、それどころじゃない！　痛くないの？　やせ我慢《がまん》なの？」

「ははは。まあまあ痛いですけど、わたし、フラント州の善《よ》い枝侯国《えだこうこく》に暮らしてた頃から犬猫鹿《いぬねこしか》それにオオカミと、いろいろ噛まれてきたんで慣れてます～」

「慣れちゃダメだろ！　回復、回復！」

私はすぐに回復魔法を唱《とな》えた。

あっさりハルカラの傷は治った。我慢してただけとはいえ、本人が笑っていたぐらいだから、たいしたダメージではなかったのだろう。

ただ――


まだハルカラの頭にはミミックが引っついている。


「いいかげん、頭のミミック、取ったほうがいいよ」

なんか、ハロウィーンの仮装を思い出した。

「いえ、今は歯が食い込んできたりはしてないですし、わたしも落ち着いてます」

「見てるこっちが落ち着かんわ！」

とりあえず、ミミックはハルカラから外《はず》して、床に置いた。

ミミックは箱の間から舌を出しながら、小さくジャンプしたりしている。正体を知っている人間の前では隠れようとしたりはしないようだ。

それはそうか。どこにいるのかバレてるのをわかってて、息を潜めて隠れるスパイがいないようなものか。

この様子だと、本当に活発な性格の可能性はある。

「じゃあ、夜だけど、今から少しだけ外に出してみようか。ハルカラ、明日も仕事だし、明日に回しても、結局夜になっちゃうし」

「ですね。わたしが連れていきたいと思います」

ハルカラはミミックを抱えると、家の外に出ていった。動くと決めたらなかなか行動的だ。

私もそれに続いて外に出る。

ハルカラは早速頭を噛みつかれていた。

「あらら、わたしの頭が好きなんですかね～。思ったよりなつかれてる気がします」

「ストップ、ストップ！　そんななつき方は困る！」

私はまたミミックをハルカラから外した。

ミミックはホップ、ステップ、ジャンプといった感じで少しずつ跳ねる高さを上げると――

またハルカラの頭にかじりついた！

「いや～、わたしの髪ってそんないい香りがするんですかね～？　女子特有の柑橘《かんきつ》系の匂《にお》い？」

「言ってる場合か！」

異様にもほどがある！　夜道で誰《だれ》かが遠くから見たら、ミミックより恐ろしいモンスターだと間違えられそうだ！

それにしても、ハルカラ、変なところに忍耐力があるな。動物に対しては甘いのだろうか？

「ハルカラにがぶりと噛みつかないようになるまでは散歩は中止です！」

私はミミックを抱えながら言った。そうしないと、また頭を狙《ねら》うおそれがある。

「わかりました。対策のあてはあるんで、明日のうちにどうにかできると思います」

ハルカラは直前まで噛まれていたとは思えないぐらい、堂々としていた。

堂々としすぎているので、一定時間ダメージを受けない魔法でもかかってるのではという気すらする。

「でも。この調子だと、いくらなんでも一日で噛みつかないように躾《しつ》けるというのは無理なんじゃない？　仕事を休めば時間はとれるのかもだけど」

「いえ、出社はします。むしろ、出社したほうが都合がいいので」

「意味がよくわからないけど、変な薬で従順にするみたいなのはナシだからね」

ミミックを気に入っているハルカラがそんなことをするとは思わないけど、念のため釘《くぎ》を刺しておく。

「そんなことしませんよ～。ミミックには何の影響もなくて、しかも確実で安全な方法です！」

「だとしたら、完璧《かんぺき》だけど。まっ、この件はハルカラにすべて任せます」

◇

翌日、ハルカラはいつもの時間に起きて、ハルカラ製薬に出社し、夕方に帰宅した。

そして、いつものように夕飯を食べ終えると、そそくさと席を立った。

席をさっと立つところだけが、いつもどおりと違っていた。だいたい、お酒を呑《の》んだりして、しばらくダイニングにいるからな。

「ミミックを取ってくるのかな……?」

「アズサ様、ミミックがどうかしたのですか?」

ライカに尋ねられたので、私は昨夜のハルカラのことを説明した。

「ほほう。では、ハルカラさんは、自分が嚙まれないようにするいい案があるとおっしゃったのですね」

「本当に成功するかは半信半疑だけど、命懸けの問題ではないから、試してみればいいんじゃないかな」

で、説明がちょうど終わった時。

「ほら、皆さん、これで大丈夫でしょう?」

ハルカラは兜《かぶと》をかぶってダイニングに戻ってきた。

その兜の上からミミックがかじりついている。


兜をかじらせる作戦か!

「たしかにミミックには影響がなくて、しかも確実で安全だった！」

想像もしない解決のされ方をした！

ほかの家族たちもぽかんとした顔をしている。

「ハルカラの姉御《あねご》、あんまり古い兜はつけないほうがいいですよ。呪われてると厄介《やっかい》ですし」

ロザリーだけ視点がズレている。それはいいとして――

「ダメージはなくなったね。だけど……根本的な解決とも言えない気がする……」

ミミックは頭部を噛んではいるんだよな……。

「そうですね。このままフラタ村に出たりすると、住人の方に噛みつくおそれもあります。人のいるところには連れていけませんね……」

ライカがあごのあたりに右手を当てて思案している。

「うん。それはやっぱり難しいね。仮に村の人を攻撃しないとしても、ハルカラにかじりついてる時点で異様だから行かないでほしい」

高原の家がおかしいと噂《うわさ》が立ちかねん。

「ハルカラのお姉さん、ところでその兜ってどこにあったの？」

ファルファは兜のほうが気にかかるらしい。

そういえば、見た目は上等そうで、消耗品の安物という様子はない。

「これですか？　博物館の中にちょうどいい兜があると思ってたんです。ジャストフィットですよ。

休憩時間に博物館に寄って、取ってきました」

出社したほうが都合がいいと言っていたのはそれが理由か！

「博物館に収蔵してたものを使っていいの⁉」

「元は我が家の私物ですから、大丈夫です。むしろ、兜なんですから、丁寧《ていねい》に置いておくよりも兜本来の役目を与えてあげるほうが、兜としても幸せな気がするんですよね」

屁理屈《へりくつ》のような気もするが、経営者がかぶる分にはいいのか。

ちなみにダイニングにはまだ食事中のみんながいるけど、ミミックがかじるのは相変わらずハルカラの兜だけで、ほかの家族を攻撃したりはしなかった。

ほかの家族といっても、ドラゴン二人と私、それとロザリーは実質危険がないので、問題なのは娘三人だけだが。その日はサンドラも室内に入って、ファルファとシャルシャとしゃべっていたので全員が揃《そろ》っている。

噛みついてはいけない家族だと認識してくれてるのかな。

……その考え方だと、ハルカラに噛みついてることに矛盾《むじゅん》が生じるからダメだな。

「これってハルカラだけ攻撃されてるのかな……？」

「アズサ様、ミミックだって兜が硬いことは理解しているはずです。なのに、噛み続けているわけですから、一応……攻撃しているのではない気がします」

ライカが少し迷いながらもそう答えた。

「それは一理あるな。ハルカラを倒すことだけ考えてるなら、頭以外の場所を狙うはずだし」

だったら、ある意味、ハルカラになついていると解釈できなくはないのか……。

娘たちはハルカラの周囲に来て、ミミックを観察している。

ミミックを下から見上げられるレアな構図ではある。


「ほんとに宝箱そっくりだね～。ファルファ、ほかのミミックは見たことないけど、同じ模様なのかな。シャルシャ、知ってる？」

シャルシャは『モンスター図鑑』と書かれた本を開いている。

「ミミックがどうして生まれたのかについては諸説ある。箱にモンスターが入って、そのまま箱と同化してしまったという説。身を守るための殻《から》が箱の形になったという説。モンスターが擬態のために箱の形をするようになったという説」

どれもありそうだけど、そういうのは科学技術がないと証明が難しそうだな。

最初の説はかつてのミミックはヤドカリみたいなものだったということか。今の箱は体の一部だからヤドカリとは違うけど。

次の説は箱が貝の貝殻に近いというものかな。

最後の説は、ミミックは枯れ枝そっくりのカマキリみたいなものという内容だ。

「どれにしてもロマンがあるね～♪　ファルファ、見てて飽《あ》きないよ！」

ファルファ、ロマンって表現は何か違う気がするぞ。

「結論は不明だが、シャルシャは面白《おもしろ》いと思う。あまり噛みついているところをじっと見られることもない」

それはシャルシャの言葉のとおりだ。

戦闘中なら噛まれた人間はすぐに引きはがそうとするし、ミミックも兜の上からじゃダメージにならないと判断して違うところを攻撃に行くだろう。だから、私たちは本来目にできないものを見ていることになる。


一方、サンドラは少し離れたところからあきれた顔をしていた。

そして、こう言った。


「ハルカラ、あなた、それって舐《な》められてるんじゃないの……？」


うっ、ずっと言わなかったのに……。

飼い犬が自分より立場が下だと思った家族にだけ強く吠《ほ》えたりすることがある。なので、ハルカラだけがミミックから舐められてる可能性はあるんだよね……。

「舐められてませんよ。噛まれてます」

「そういうことじゃないわよ！　あなただってわかってるでしょ！　舐められてて、恥《は》ずかしくないの？」

「いえ、恥ずかしくなんてないですよ」

ハルカラはサンドラのほうを向いて、何のこだわりもないように淡々《たんたん》と言った。

「エルフが戦闘能力で低いのは当然のことですから。それで悲しくなることもないですし、まして恥ずかしくもならないです。サンドラさんだって口から炎を吐けないことで恥ずかしく思うことはないでしょう?」

「恥ずかしく思ったことはないけど、炎が吐けたら性格悪い植物を焼けそうで便利ね」

発想が邪悪《じゃあく》すぎる。

しかし、そのハルカラの諭《さと》すような態度にサンドラも気圧《けお》されはしたらしく、一歩後ろに下がった。

「で、でも……。ハルカラの言いたいことはわかったわ……」

サンドラもハルカラを認めた。

そうだね。モンスターに舐められるかどうかはたいていの場合、力の強い弱いが元だろうから、力の弱い種族は舐められやすくなる。ドラゴンにわざわざケンカを売るモンスターも動物も少ない。

じゃあ、力が弱いからといって、過度に恥ずかしく思う必要はない。

力が弱いなら、それをほかのところでカバーすればいいし、ハルカラはそれを兜で実践して見せたのだ。

もしや、ハルカラ、かなり達観しているのでは。

でも……ミミックが兜の上から噛みついているので、無茶苦茶シュールに見える……。

「それに、今の話はあくまでも舐められてたら恥ずかしいんじゃないかということですよね。わたしは舐められてないと思ってますので」

ハルカラは自信を持って言った。

「わかった。ハルカラを信じよう」

今のハルカラは、酔っ払ってるわけじゃないし、その言葉にもそれなりの重さがあると思う。

「お師匠様、それじゃ今から夜の散歩としゃれこみませんか？　今晩はちょうど月も明るいですし」

「そういや、ミミックが噛みつく問題をクリアできれば散歩していいことにしてたね」

予想外の解決のされ方ではあるが、危険に関してはなくなっている。

村の人を攻撃するかもしれないのでお昼のフラタ村を歩くことはできないけど、夜の高原をうろついている人間なんていないから事故も起きないだろう。

「じゃあ、行こうか。ほかのみんなも行く？　本当に散歩するだけだけど」


だいたい予想していたけど、みんなついてくることになった。

サンドラあたりは「植物は出歩かない」などと言うかもと思ったけど、それもなかった。

家族揃っての夜の散歩ってなかなか珍しいな。

高原の夜は空気が澄んでひんやりしていて、爽快だった。とくにフラットルテは涼しいところが好きなのか、気持ちよさそうだ。

ハルカラが深呼吸と言っていたけど、深呼吸したくなるのもわかる。

それはいいとして――

ミミックはずっとハルカラの兜に嚙みついたままだった。

「これってペットの散歩って言えるの⁉」

ミミックがまったく歩いていない。

「お師匠様、子猫をずっと胸に抱いて近所を歩く人だっていますし、これも似たようなものですよ」

「絵面《えづら》的にそんなほのぼのしたものではない」

見た目だけならホラー映画寄りだ。人がいないところだから歩けてるんだぞ。

「あとさ、ミミックが外を動き回りたいかもしれないからってことで、散歩させるって話になったんでしょ。この様子だと、やっぱりミミックは外には出たくないんじゃないのかな……?」

宝箱は洞窟《どうくつ》や室内にあるもので、原っぱにぽつんとあるものじゃないしね。

仮にそんなところにミミックがいても、すぐにバレて開けてもらえないだろう。

あと、雨や風で箱が傷みそうでもある。屋外にじっとしてるのは、ミミックの健康にも悪そうだ。

「なら、ご主人様、外してみればいいのだ。はっきりするのだ」

フラットルテはそう言うと、ハルカラの兜からミミックをかぱっと外した。

ドラゴンからしたら、書類からクリップを取る程度の感覚らしい。

そしてミミックを芝《しば》の上に置く。

「ほら、ミミックよ。走りたいなら、走ればいいのだ」

ミミックは数秒、周囲の様子をうかがっていたようだが――

ぴょ～ん、ぴょ～んとジャンプしだした。

「へえ、飛距離があるものなんだ」

私は感心してその様子を眺めていた。

「図鑑によると、ミミックはああして宝箱がありそうな場所にまで移動するらしい」

そういえば、シャルシャは散歩先までさっきの図鑑を持ってきていた。割と荷物になる気がするけど、駆けまわったりしない分には問題ないのか。


ミミックは元気そうに跳んでいる。

たまに箱の間から舌が出たりしている。

家族揃って散歩する機会を与えてくれたミミックに感謝しなきゃね。

「ふうむ。ジャンプのためのタメを作ってる感じがあるな。スライムのジャンプはもっと軽快な感じがあるよ」

私はスライムのジャンプは三百年見てきたので、そっちに関してはまあまあ詳《くわ》しいのだ。

「おそらくミミックは体の中にバネみたいなものがあり、そこに力を込めて、それを解放することで生じた力を使用している。そう考えられる」

シャルシャが本に顔を近づけながら言う。

「バネ……。箱の下から足が出てくるわけでもないし、そういうのが必要か」

モンスターの生態って動物の生態以上に複雑だな。

「うんうん。ミミックも散歩を満喫してるみたいですね～。やっぱりたまには外に出してあげるほうがいいんですよ」

ハルカラは少し親バカの飼い主目線で、パンパン手を叩いていた。元気なミミックに対する称讃《しょうさん》らしい。

でも気持ちはよくわかる。

高原の家までついてきちゃったミミックだし、どうせなら幸せになってほしい。

ミミックはたまに失敗したみたいに小ジャンプになったり、ジャンプして前に進むどころか後ろに下がってしまっていたりする。

そのあたりの雑な動きもなんとなく楽しそうに見える。

とにかく、ミミック本人が楽しければ問題ないのだ。


……ん？


………ミミック本人？

そういえば、ほったらかしにしていたことがあったのを思い出した。

「ねえ、ハルカラ、ハルカラ」

「あ、お師匠様、ミミック用のエサのホコリは持ってきてないです」

ホコリを用意するって、なんかひどいよな……。そういう食生活だから仕方ないけど。

「違う、違う。そうじゃなくて。ミミックの名前が決まってないままだけど、どうしよう？」

ハルカラはきょとんとした顔になった。

「えっ？　ミミックでよくないですか？　このへんにほかのミミックなんていないですし、呼び方で困ることもないですよ」

「そこに関しては、愛はないんかい！」

ハルカラの態度が一貫してなくて、モヤモヤする！

ミミックを散歩させようとまで提案しておいて、名前はいらないですっておかしいだろ！

どっちかというと、名前が先だ！


「名前ですか～。そうですね、ミミックだから、ミミちゃんなんかでどうでしょう？」


安易《あんい》にもほどがある。

「せめて、もうちょっとだけ考えて！　五分は考えて！」

あれ、でも、ブッスラーさんだって武道家スライムだからということで自分をそう命名したはずだよな。

それに私が賢スラやマースラってつけたのもミミちゃんと同じ次元かもしれない。

だったら、ミミちゃんでもいいのかな……。

いやいや、さすがにもう少し考えても罰は当たらないはずだ。

それに散歩というのは、名前みたいなものを考えるにはちょうどいい時間だとも言える。

ハルカラの頭にいいアイディアが浮かぶ可能性だってある。


数分、高原をてくてく歩いた。

方向はミミックがジャンプしたほうだ。

前世は少し歩くとすぐに汗ばむような気候の国だったから、こういう涼しいところはうれしい。

お風呂入ったあとに出歩くとまた汗をかくからコンビニに行くだけでも嫌になるんだよな……。

「お師匠様、こんなのはどうでしょうか？」

おっ、名前の案を何か思いついたらしい。

「『箱』というのはどうでしょう？」

「だったら、ミミックって呼ぶほうがマシだわ」

ハルカラの愛情の示し方って何かがおかしい。

それとも、名前って本当に記号的なものなのか？　前世でも私が生まれる百年も前なら一郎・二郎・三郎みたいな名付けが普通にあったしな。

と、ファルファが私の袖《そで》を引っ張った。

「ファルファはミミちゃんって名前、かわいいと思うよ～」

「よし！　なら、ミミちゃんにしよう！　貴重な一票が入った！」

娘がかわいいと言うなら私に文句《もんく》はない！


「わかりました！　ミミちゃんですね！　ミミックの名前はミミちゃんです！」


ハルカラも自分の案が採用されて喜んでいた。

しかし、一つ頭に引っかかることがあった。

ミミちゃんって呼んでるけど、そもそもこのミミックの性別ってどっちなんだ？　ミミ君のほうがいいこともあるんじゃ？

それ以前にミミックの性別ってあるのか？

考えたってわかりようもないので、シャルシャに尋ねてみた。

「『よくわからない』と図鑑には書いてある」

うん。図鑑でもわからないんじゃ、しょうがないね。

「わかった！　やっぱり、ミミちゃんで決定だね」

その夜、ミミックに名前がつきました。

◇

ミミックの名前がミミちゃんに決まってから一週間ちょっとあと。

私たち家族は、今度はミミちゃんと一緒にお昼の散歩をすることにした。

以前の散歩を終えてからも二日続けてミミちゃんを外に出してみたものの、あまり気分が乗らないらしく、ほぼ動かなくなってしまった。

とくに二日目は知らない人が見たら箱が高原に置いてあるというようにしか見えなかったと思う。

結局、私が抱えて持って帰った。

そこで、日を空けたのだ。

やはり散歩はたまにでいいらしい。犬みたいに毎日出たいわけじゃないようだ。

それもそうか。

ミミックらしく、あくまでも普段は室内にいるのがいいのだ。

散歩は息抜きということだね。

登山が趣味でも一年のうち三百日を山で過ごしてくださいと言ったら、中には拒否する人もいるだろう。たまにならよくても、そっちが主になると困るという趣味は多い。

実際、日を空けての今日は、ミミちゃんは勢いよく高原をジャンプしている。

週に一回がちょうどいいのかな。

「うん！　お昼の散歩もいいものですね～！」

ハルカラの声も気持ちよさそうだ。

問題があるとしたら、兜が気になるということぐらいかな。

今日もつけてるんだよね、兜。

「ねえ、その兜、もう外したら？　頭、重いでしょ」

「でも、まだ噛みつかれる時はありますから。お師匠様の回復魔法に頼りっきりなのもよくないですし。自衛できる範囲では自衛します」

そう語ったハルカラの頭に、後ろから近寄ってきたミミちゃんがかぷっと噛みついた。

「ねっ？」

「そんなうれしそうに言われても困る！　どっちかというと、噛まないように叱《しか》る案件だよ」

名付けの親が噛まれてうれしそうなうちは、ミミちゃんも噛むのはやめないだろうな。誰も困ってないからいいと言えばいいけど。


――と、高原の高台に向かって歩いてくる人影があった。

こっちは私たちの家ぐらいしかないから、やってくるのは知り合いかなと思ったら、正解だった。

ただし、めったに見ない組み合わせだ。

なんと、ブッスラーさんと松の精霊ミスジャンティーの二人組なのだ。

「あっ、みんなでお散歩っスか？　こんにちはっス」

「ここの坂、駆け上がるとなかなか足腰のトレーニングになりそうですね。お金を使わないトレーニングも大事ですもんね」

ブッスラーさんのほうはあいさつなのかどうかよくわからないあいさつだな。

「ミスジャンティーが歩いているのはわかるけど、なんでブッスラーさんがいるの？　お金になるようなものなんてないし。ベルゼブブたちも来てるの？」

ミスジャンティーは前回の踊り祭りの前から、喫茶《きっさ》「松の精霊の家」の店長をやっているので、なかばこのあたりの住人みたいなものなのだ。お昼にフラタ村で見ることもある。

「今回は魔族領から一人で来ました。お金はこっちから出るので」

ブッスラーさんはミスジャンティーのほうを指差した。

「このブッスラーという人にお金儲《かねもう》けのノウハウを聞いていたっスよ。いわゆるコンサルっスね」

「スライムから裸一貫《はだかいっかん》、道場を経営するまで行きましたからね！　いわば、これも人助けということでしょうね！」

ブッスラーさんがドヤ顔で言うと、なんかイラッとするな……。絶対にお金ありきだろ。得意分野を生かしてお金儲けすることには何の問題もないけど。

「ブッスラーさんがいる理由はわかったよ。でも、なんでこっちに上がってきたの？　喫茶店《きっさてん》の場所も神殿の支店も場所が全然違うでしょ」

コンサルと言うなら、ミスジャンティーに関係する施設に行きそうなものだ。

神殿、あるいは喫茶店というのが定石だと思う。

「ほら、高原の家の横に松の木が生《は》えてるじゃないっスか」

「ああ、生えてるね。あなたからもらった苗木を植えて育ったやつか」

高原の家の横には、なんだか家の目印みたいに大きな松が立っている。

ただ、生えたのはここ最近だ。

ミスジャンティーがファルファとシャルシャの姉妹《しまい》結婚式の時の記念品としてくれた苗木が、三日で大木と言っていいレベルにまで生長したのだ。

確実に松の精霊本人の力が加わっていると思う。

でなきゃ、本当の奇跡になってしまう。

「それで、あの松の木がどうかしたの？　松の木で商売はできないでしょ」

ミスジャンティーが私から視線をそらした。

「その……あの松のあたりに、同じように松を植えて、松林を作りたいんスが、いいっスかね……？　インパクトある松林ができたら、ほかの商売もできるかなと思ってるんスが……」

私は笑顔になって、両手で大きな×を作った。

「絶対にダメ！」

危ない、危ない……。スローライフが破壊されるところだった……。

こういう時はちゃんとノーと言っておかないと……。

「えっ？　ダメっスか？　隣に高原の家もあるし、名物になるかと思ったんスが……」

「だからダメなんだよ！　ほら、やっぱりこっちに便乗《びんじょう》する気満々だったじゃん！」

そんなことだろうと思った。

強引に私たちも関係があるように持ってくる予定だったな。

「だいたい、このあたりに喫茶店も小さい神殿もあるんだから、そっちを優先して使ってよ。高原の家で何人も住んでるんだから、真横でお店でもやられたら迷惑だって」

ブッスラーさんのほうがもみ手をした。

それ、武道家のしぐさじゃなくて商人のしぐさだろ。

「そこをなんとか。上手《うま》くいったら、テナント料としてお金も払いますし～」

「ダメです。無許可でやったら、最悪の場合――松を切り倒します」

ここは強気に出ないといけないところだ。

松を切るとまで言ったら、ミスジャンティーがさすがにヤバいという顔をした。

「あっ、わかりました。この方法は諦《あきら》めます。地域住民の理解を得られない方法は上手くいきませんからね」

ブッスラーさんも割とあっさり折れた。そこだけはよかった。

地域住民の理解も何も、高原の家の魔女がどうたらとか宣伝目的でこっちを使う予定だったんだから、許可するわけないだろ。

ブッスラーさんからしたら、他人事《ひとごと》ではあるからな。

きっとコンサル料をもらえることには変わりないし、問題ないのだろう。

一方、ミスジャンティーはまあまあダメージを負っていた。

「もしかすると、ワンチャン許可をもらえるかもと思ったっスが……そんなに甘くはなかったっスね……。別の金儲けの手段を考えるっス……」

そんなにショックを受けられるとこっちが悪いみたいでなんか嫌だな……。

とにかく、スローライフが壊れることは止めさせてもらう。

そこは譲れない。なあなあにしてると、数年後には高原の魔女の村なんてものまで作られたりしかねないからな……。本当にそんなことになるからな……。

さてと、ある意味でミスジャンティーとブッスラーさんが私のところに来た目的は終わったわけだけど——

二人の後ろから何か小さいものが跳ねるのが見えた。

全部で四つある。よく見ると、四匹のスライムだ。

どこにでもある何の変哲もないスライムのようだけど、どことなく見覚えがある。

私が見覚えがあると感じるスライムは限られている。

ということは……。


「これは『月謝不要一号』『二号』『三号』『四号』じゃないか！」


このスライムたちはブッスラーさんが自分の道場で飼っている事実上のペットだ。

「そうです、そうです。せっかくこっちに来るし、どうせならこのスライムたちも散歩させようと思ったんです」

「おお、ペット想《おも》い！」

「道場のあたりは水路が多くて、またいなくなったり、増えたりしそうですし……」

「だね……。目も離せないとなると疲れるよね」

毎週一体増えていくなんてことになったら、どれだけペットに愛情を注《そそ》ぐブッスラーさんだって限界になる。

「それに、どこかに行ったらその時はその時なんですけど、欠けてもどれが欠けたかわからないですしね。なんか嫌なんですよね」

元スライムのブッスラーさんでも区別がつかないのか。

だとしたらスライムって本当に違いらしい違いはないんだろうな……。

「まあ、よほど色が近いスライムのところに行かないかぎり、ここなら見失うようなこともないだろうし、ゆっくり散歩させていってよ」

「月謝不要」たちもなかなか威勢よく跳ねている（ように見える）。

このあたりの野良《のら》スライムより運動量が多い（ように見える）。

スライムの体調を知るのは無茶苦茶難しい。

「ほら、『月謝不要』たちも田舎《いなか》でぼうっとしたいこともあるかもしれないし。なんだかんだで『月謝不要』たちって、ヴァンゼルド城下町っていう都会のスライムなわけだしさ」

「そうですね。ペットというわけじゃないですが、ついでに連れてくるのならお金もかからないので、そうします」

ブッスラーさん、かたくなにペットだとは言わないな。このあたりはけっこう頑固《がんこ》だ。

明らかに「月謝不要」たちに愛を注いでるのにな。

すると、そこにスライムの跳ねる音とは違う音が聞こえてきた。もうちょっと鈍《にぶ》い音だ。

振り返ると、ミミちゃんが口というか箱を開けながらジャンプしていた。

私は、少し嫌な予感がした。

「ミミちゃん、こっちに来るのはまずい！」

もし、ミミちゃんが「月謝不要」たちを攻撃すると、大変なことになる！

スライムではミミックの攻撃にもきっと耐えられないはずだ。

そう、これまでミミちゃんを散歩させることが可能だったのは、高原に家族以外の誰もいなくて、ミミちゃんが噛みついたりしても深刻な事態にならないからだったのだ。

人様のか弱いペットがいる今は状況が異なっている！

「ほほう。ミミックをペットにしているんですか。変わった趣味ですね」

「貴重品の入った箱の横に置いておけば防犯用になるかもっスね」

ブッスラーさんもミスジャンティーも呑気《のんき》なことを言ってるけど、それどころじゃない。

だが、事態は最悪なほうに進んだ。

「月謝不要」たちもミミちゃんのほうに跳ねていく。

「『月謝不要』もそっちに行かないで！　もっと危機感を持って！」

私のそんな声も空《むな》しく、「月謝不要」たちはどんどんミミちゃんのほうに寄っていき――

その開いた箱の中にどんどん入っていってしまった！

そして、ミミちゃんの箱がぱたんと閉じられる。

「うわあああ！　食べちゃダメ！　本当にダメ！」

人のペットを食べてしまったら、どうしたって償えない！

すぐにでも救出しなければ！

「アズサさん、そんなにあわてなくても大丈夫だと思います」

ブッスラーさんは言葉のとおり、やけに落ち着いていた。

スライムだから何かわかることがあるのだろうか。

でも、答えがわかるまでは私は落ち着いていられない。

「あわてるなと言われても無理だよ。こうしてるうちにも『月謝不要』が食べられてるかも……」

「スライムが食べられることはないですよ。だってモンスターは死ぬと魔法石になりますからね。ほかのモンスターも食事の対象にできません」

「そういえば！」

「ミミックは魔法石みたいな宝石が好物だという話もありますけど、あれは俗説です。宝箱と見せかけるために、アイテムを貯《た》め込む習性のあるミミックを見て勘違いしたものでしょ。あのミミックも宝石なんて食事にしてないでしょ？」

「たしかに！　わかりやすい解説だ！」

中には宝石をむしゃむしゃ食べるモンスターもいるかもしれないが、ミミちゃんはホコリを食べて暮らしていたぐらいだし、宝石を消化することはないのだろう。

でも、まだわからないことがある。

「じゃあ、なんでミミちゃんの中に『月謝不要』たちは入っちゃったんだろう？」

「それは謎《なぞ》です」

元スライムのブッスラーさんでも、やっぱりスライムの考えはわからないようだ。

「ところで、ミミちゃんってセンスのある名前ですね」

名前のことは今は置いておいてほしい。

けど、ミミちゃんってセンスがある名前なのか？

やっぱりスライム基準の名付け方は安直なのかも。

ちょうどミミちゃんのところにハルカラも走って寄ってきた。

名付け親として状況が気にかかったのかもしれない。

ハルカラは、

「ミミちゃん、お口を開けてくださいね〜」

と、ミミちゃんに手を近づける。

お願い！　最悪の事態だけは起こっていませんように！

「月謝不要」からできた宝石が入っているなんてことはありませんように！

「おー！　まるで本物の宝箱ですよ！　宝石が入ってるみたいじゃないですか！」

ハルカラの声を聞いて、私はぞくっと寒気がした。

それって……「月謝不要」がやられちゃったってことじゃん……。

世の中にはたくさんミミックがいるのだ。モンスターを攻撃するミミックや、魔法石を食べるミミックもいるかもしれない。

ただ、それにしてはハルカラの声が明るくて間延びしているのが気になったけど。

否《いな》、考えている場合じゃない。すぐにだって確かめられるのだ。

確かめに行け。

私は口を開けたミミちゃんのところに走り寄った。

宝石が入っているというのは何かの間違いであってください！

わずかな距離なのに、こんな事態だとやけに時間を長く感じた。

そして、ミミちゃんの中には――


「月謝不要」たち四匹がぎっしりと詰まっていた。


そこに日の光が差し込んで、どことなく宝石のように見えなくもない。

スライムが半透明だからこそのことだろう。

「よ、よかった……。無事だった……」

私はほっとして、その場に膝《ひざ》を突いた。

いやあ、心臓に悪かった。

「宝箱ごっこと宝石ごっこということなんでしょうかね？　それとも狭いところに入るのが楽しいんですかね？　どっちにしても、なんかお茶目《ちゃめ》でかわいいですよ」

ハルカラの陽気な声が耳に入ってくる。

「ねっ、お師匠様？」

「うん、そうだね」

私は顔だけは笑って言った。

なぜかというと、まあまあ腹が立っていたからだ。

「でも、まぎらわしい言い方はやめて！　冷や汗が出たんだから！」

「あっ……お師匠様、すみません！　他意はなかったんです！　偶然ですから！」

なお、それから長いことミミちゃんと「月謝不要」はそこでじっとしていた。

どの部分で意気投合したのかまったくわからないけど、相性《あいしょう》はいいらしい。


「もしかすると、ミミちゃん、本物の宝石も入れてもらいたいんですかね？」

ハルカラは慈しむような目でミミちゃんを見つめている。

「そうなのかもね。しかし、宝石が入ったままのミミックって……」

私は少しだけ首をかしげた。

「もはや、ただの宝箱なのでは……？」

ミミックがなぜ生まれたのかという話に関しては、新しい説を提唱したい。

宝箱がそのままモンスターになったのがミミックなんじゃないだろうか。

世界を救う夢を見た

She continued destroy slime for 300 years

「今日も一日、トラブルもなく無事に終わった〜！」

私はゆっくりとベッドに入った。

心配事もなく、たまってる仕事もなく、ぐっすり眠れるって本当に幸せだ。快眠もできてより健康になれる気がする。

ビバ、高原ライフ！

しかし、その夜はそう上手《うま》くはいかなかった。

こんな声というかテレパシーが聞こえてきたのだ。


——おひさしぶりです、アズサさん。


うっ、間違いなくメガーメガ神様！

また、厄介《やっかい》な依頼かな……。それなら、せめて日中にしてほしい。今から眠るぞって時間に連絡するのは反則だからやめてほしい！

いえいえ、日中だとできないことなんです。むしろ眠っている間にやってもらいたいことがありまして〜。

ということは……また変な世界に連れていかれるのか……？　睡眠学習みたいな扱いで……。

過去にもスライムしかいない世界だとか、アクションゲームっぽい世界だとか、妙な場所に送られたことがある。

そうです、そうです。信者の方の新しい修行プログラムを開発中でして〜。それをぜひアズサさんにも体験してもらいたいな〜と。お引き受けいただき、ありがとうございます！

まだ了承してないのに、引き受けたことにしないでくださいよ！

今回もこの世界ではよく知られたゲームデザイナーであるポンデリさんにお力添えをいただきつつ、私のオリジナルストーリーでのプログラムを作りました！　というわけで、アズサさん、そのプログラムの世界を救ってください。

えっ？　世界を救う？　やけに壮大なことを言われてるような……。

◇

気づいたら、謎《なぞ》の異世界に飛ばされていた。

「またか」


それが私の本音だった。

過去も周囲がやたらとカクカクしたゲームっぽい世界に行ったよね。

しかし、前回と比べるとグラフィックは大幅に進歩していた。

空も街もかなりきれいになっている。

どこに花が咲いていて、どこに川が流れているかもわかる。

ゲームで言うところのハードが変わったというやつだろうか。

ふわっと表現すると、ファミリーな機械がすごくファミリーな機械に変わったっていうか。

「アズサ様もこの世界にいらっしゃったんですね。よろしくお願いいたします！」

この真面目そうな声はライカか！

私はすぐに声がしたほうに顔を向けた。

そこにはたしかにライカがいた。

カクカクしたドット絵みたいなライカが。

「ライカ！　完全にゲーム側の世界の住人になってるよ！」

「そういうアズサ様もカクカクしていらっしゃいます！」

そう言われて、自分の手や足を見てみた。

たしかに、そこはかとなく、カクカクとしている！

すると、空に文字が浮かび上がった。

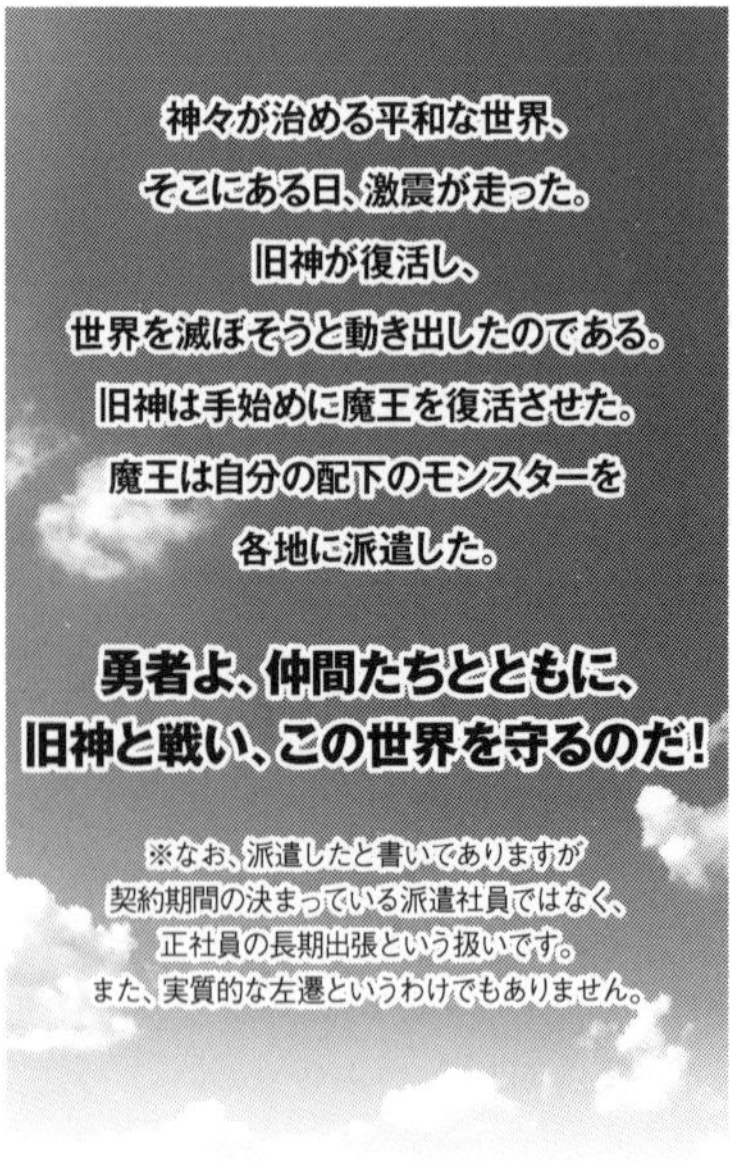
神々が治める平和な世界、
そこにある日、激震が走った。
旧神が復活し、
世界を滅ぼそうと動き出したのである。
旧神は手始めに魔王を復活させた。
魔王は自分の配下のモンスターを
各地に派遣した。
勇者よ、仲間たちとともに、
旧神と戦い、この世界を守るのだ！
※なお、派遣したと書いてありますが
契約期間の決まっている派遣社員ではなく、
正社員の長期出張という扱いです。
また、実質的な左遷というわけでもありません。

「労働に関する部分が多い！」

重視するところは明らかにそこじゃない。

だが、これでメガーメガ神がやろうとしていることはわかった。

ここはＲＰＧの世界なんだろうな。

そしてこの世界のラスボスである旧神を倒せばゲームクリアになるということだろう。

旧神というのは、そのまんま旧神のデキさんだと思う。ボスとしては十分に強そうだし。

その前に魔王が中ボスとして君臨《くんりん》しているようだけど、これはどうせペコラなんだろうな。

うん、以前のように難易度の高すぎたアクションゲームと比べれば、ＲＰＧなら地道にやっていけば必ず先に行ける。精神的にははるかに楽だ。

と、ライカの頭の上に【戦士】という表示が出た。

「ライカは戦士なんだね。よろしくお願いするよ」

「はい！　アズサ様の頭の上にも【勇者】という表示が出ています」

勇者か。なかなかいい待遇じゃないか。

「さて、ずっと二人で旅をするということもないと思うし、ほかにも仲間がいるんじゃないかな。できれば見つけておきたいな」

職業という概念があるのに、勇者と戦士の二人で突き進むしかないというのは不自然だ。もっと、いろんな職業と仲間がいるのが普通だろう。

だが、捜す必要はなかった。

向こうから声をかけられたからだ。


「お姉様、やっぱりここにいたんですね～！」

「おぬしらも少しカクカクしておるのう」


ペコラとベルゼブブがこっちにやってくる。

「えっ！　もう魔王が出てきちゃうのはいろいろまずいんだけど！」

ＲＰＧの世界では戦闘になっても絶対に勝てないぞ。こっちはレベル１だろうし……。

「お姉様、その心配はないですよ。ほら、ほら」

ペコラが自分の頭の上に指を差した。

そこには【魔法使い】という表示が出ている。

ああ、仲間なのか。ベルゼブブのほうにも【僧侶】という表示がある。この四人でひとまずゲームをスタートするということでいいのかな。


「――って、現実の魔王が魔王とも戦うゲームに挑戦するのか……。ややこしいな」

人選ミスじゃないだろうかと思う。

「お姉様、役になりきってください。わたくしはあくまでも魔法使いペコラなんです。仲のよかった兄が魔王の軍に連れ去られたので、その兄を捜すために魔法使いになり、勇者とともに旅をすることになった、そんな過去があるんです」

「ペコラって、役には入り込むタイプだよね」

しかし、過去の設定にも魔王という概念が入っているので、余計にややこしいな。

「わらわは、大貴族の家に生まれたのじゃが末の子供だったために、僧院《そういん》に入れられてそのまま僧侶になったということになっておるのじゃ。なんか、わらわの設定はやけにリアルじゃのう……」

たしかにベルゼブブは現実にありそうな設定だ。

「そういえば、我《われ》はドラゴンに村を焼かれてすべてを失ったという設定のようですね」

「やっぱり人選ミスだよ！　本人と役の相性《あいしょう》が悪い！」

「我も村を焼くというような悪事はいたしません。そんな非道な生き方をしては先はありませんから……」

「ああ、うん、そこはもちろん信じてるから大丈夫だよ、ライカ……」

魔王もドラゴンもいる世界でＲＰＧするのかという気もするけど、平成の日本で平成の日本が舞台のドラマをやっていると考えれば、おかしなこともないのか。

「それでアズサ様はどういった設定なのですか？」

頭の中に設定らしきものがぱっと浮かんできた。

「ええとね……。幼い頃から自分は勇者だと信じて生きてきた。以上。………。これ、勇者だと思い込んでる変な人なのでは？」

ほかの人と比べても雑だと思う。

「まあ、しょうがないじゃろ。勇者なんてものは名乗った者勝ちみたいなところがあるしのう」

「ですよ。それに主人公に設定が多すぎるとプレイヤーが入り込みづらいから、わざと設定が少ない可能性もありますよ」

「それもそうかな……」

魔族二人に慰《なぐさ》められるというのも、ＲＰＧ的には混乱してくるけど、いいかげん現実のこととは切り離すか。

というわけで、四人パーティーでＲＰＧをすることになりました。

「けど、まずどこに行ったらいいんだろうね？」

直近の目的がわからないままだ。

「こういう時は情報収集じゃ。そのへんの住民に聞けばよいじゃろ」

これはベルゼブブの言うとおりだ。この手のゲームはとにかく会話をしていけば、情報がもらえる。入念に情報を得ていけば、どうにかなるようになっている。

ベルゼブブが街を歩いている人に話しかけた。

「すまぬが、少しばかりこの土地のことについて教えてくれんかのう?」

「ここはスタトの街ですよ」

「そうか、そうか。それでスタトの街には何があるのかのう?」

「ここはスタトの街ですよ」

私は嫌な予感がした。

「街の名前はもう聞いたのじゃ」

「ここはスタトの街ですよ」

「おぬし、ふざけておるのか! 真面目《まじめ》にやれ! それともここで戦うか? わらわは僧侶じゃぞ! つまり、こっちには神がついておるんじゃぞ!」

ベルゼブブが出会った一人目にキレそうになっていたので、私が止めに入った。

「待って、待って! きっと、これはこういうものなの! 同じことしかしゃべれないの!」

「はあ? 街の名前しか言えないなんて、しょぼいアーティファクト未満ではないか! この街はすでに旧神だか魔王だかの呪《のろ》いにでもかかっておるのか?」

「違う、そういうことじゃない!」

コンピューターRPGを知らない人に説明するのは、なかなか大変かもな……。

私はこういうゲームの人が同じセリフを繰り返すしかないようにできているという話をした。

「ふうむ……。けったいな世界じゃのう……。では、まずは軍事力のある国の協力を得て、それで魔王軍と戦うことにするか。あるいは敵方の将軍クラスのところに刺客を送り込んで確実に抹殺することで混乱を図るというのも手じゃな」

「そういうのとも違う。一般的に私たちが少数精鋭で乗り込んでいくものなんだよ」

ベルゼブブだって中ボスみたいなポジションなんだから、そのあたりのことは理解してほしい。

敵の偉い奴《やつ》は強いので、暗殺などもできないはずなのだ。

「魔族の大臣ともなれば強敵を迎え撃つのは当然じゃし、わらわにもその心構えはあるのじゃ。しかし、旧神だか魔王だかの側からすればこっちは辺境《へんきょう》のはずじゃ。辺境に攻めてきておる奴はたいして偉くもないから、刺客でもつぶせるのではないか？」

「『つぶせるのではないか？』と聞かれたら、つぶせないと答えるよ」

けっこう疲れるな……。

常識が違いすぎるというのは難しい。

しかし、ゲームばっかりやっていたわけじゃない私でも、こういう常識はインプットされているわけだから、ゲームの影響というのは強いんだな。

「わかったのじゃ。わらわたちが強くなっていくしかないのじゃな。今は身分も低いがやがては数万の兵を率いる将にまで出世してやるのじゃ。成り上がるのじゃ」

「やっぱり認識がズレてる気がするけど、私たちが強くなる必要があるのは確かだから、今はそれでいい」

そのあと、私たちは情報収集をした。

ただ、ベルゼブブではなくても、思いっきり違和感を覚えた。

「人間が決まったことしかしゃべらない世界って、実際に体験するとかなり怖い……」

だって、「魔王が攻めてきたらどうしよう」しかしゃべらないような人が大量にいるのだ。

旧神や魔王なんかよりも、もっと高次の恐ろしい者に支配されているようなヤバさがある。

「アズサ様……我は怖い話はダメなんです……。すでにつらくなってきました……」

早くもライカが弱っている。

RPGだとわかってない人からしたら、完全にホラーだった。

この世界に血の通った人間が自分たち数人しかいないのでは？　と疑ってしまう感覚はなかなか不気味《ぶきみ》である。

「ライカ、慣れてくるから！　こういうルールだから！」

勇者らしく適宜《てきぎ》パーティーをフォローしていかないとまずいな……。

それはそれとして、情報収集により、次の目的は決まった。


私たちは街の宿のテーブルで作戦会議を開いた。

「船の持ち主がほしがってるアイテムをあげると、小さな船をくれることがわかったね。船の持ち主が求めてるアイテムは洞窟《どうくつ》の中にあるから、それを手に入れる——当面の目的はそれでいこう。

船があれば移動範囲が一気に広がるよ」

「ほしいものが洞窟にある奴なんておるのか。どんな趣味しとるんじゃ」

ベルゼブブがちっとも納得がいかんという顔をしている。

「気持ちはわかるけど、そういうものなんで受け入れてよ」

たしかに、ほしいものが洞窟の中にある人間などいない。

「だいたい、このへんの連中はモンスターの脅威にさらされておるんじゃろ。じゃあ、モンスターと戦うわらわたちに便宜《べんぎ》を図って当然ではないか。小さな船と言わず、立派な船を国がよこさんか！　小さい船が大海原《おおうなばら》で沈んだら終わりじゃ！」

「だから、そういうツッコミは禁止！　あと、船が大海原で沈むことはないから！」

「いいや、腹が立つからこのタイミングで全部言ってしまうのじゃ！　ほかにも貴重な薬草がほしいと言うてる奴がおったり、変わったニワトリがほしいという奴がおったりするが、あれもなんかイベントとかいうものに関《かか》わっておるんじゃろ？　物事のサイズがおかしいのじゃ！　こっちは世界の危機を救うことになっとるのに、なんで小市民の願い事いちいち聞かなきゃならんのじゃ！　そのへんの一般人に順番にご意見を伺《うかが》う君主が偉いのか？　そんなんじゃ政治にならんじゃろ！　それと同じじゃ！」

「こういうものだから、諦《あきら》めて！」

私が死んでからＲＰＧがどうなったかは知らないけど、自分が子供の頃に見聞きしたＲＰＧは、そういう世界平和に限りなく関係なさそうなトラブルを解決していくことで話が先に進んだのだ。

だが、まあ、今になって思えば、ベルゼブブの言うとおりな気もする……。

物を届けないと重要アイテムをくれない人とかに対しては、せめて国がお金を出してアイテムを買い取るぐらいはしてくれてもいいのではと思う。

これはベルゼブブの説得だけでも大変だなと思ったその時――

ペコラが勢いよく立ち上がった。


「ベルゼブブさん、教養が足りません！　失格です！」


「し、失格ですと……？」

ベルゼブブもペコラに叱《しか》られて、困惑しているようだ。モロに上司だしね。

「ベルゼブブさん、劇で変装するシーンがあるじゃないですか。当然本格的な変身じゃないから、観客は誰《だれ》しもわかるわけです。でも、それを見てあんな変装だったらすぐわかるぞって文句《もんく》を言うのは野暮《やぼ》を通り越して、ただの無教養です。これも同じです！」

た、たしかに。

劇だってお約束というのはいくつもあるし、劇を見て現実との区別がつかなくなる人はいない。

「劇には劇の中のリアリティーがあるんです。つまり、このゲームにもゲームならではのリアリティーがあるというだけのことです！　それを受け入れてください！」

その説明に私も「たしかに！」となってしまった。

「そ、そうですな……。わかりましたのじゃ……。些細《ささい》なことにケチをつけるのはやめにしますのじゃ」

ベルゼブブもペコラには素直に頭を下げた。

「ですです。わかればいいのです♪　こういうのは、まずはその世界のルールを受け入れることからはじまるんですからね♪」

ペコラは楽しそうにうなずいた。

「ペコラ、変な企画をどんどん作るだけあって、この手のものの理解度が高いよね……」

もしかすると、私より受け入れるのが早いかも。

「理解というほどでもないですよ。作り手に対する最低限のリスペクトです」

度量のスケールが大きい。さすが魔王。

「あの、アズサ様、そろそろ本題に戻りませんか？」

ライカに言われて、ずっと脱線していたことに気づいた。

「そうそう、ええとね、次の目的地は洞窟なんだけど、私たちまだ一度も戦闘をしてないので、街の外のフィールドでレベル上げをしたいと思います」

「ほう。スライムばかり倒して経験値を貯《た》めるということかのう？」

私はベルゼブブの質問にうなずいて答える。

「まさにそういうこと。レベルが低いままだと全滅しちゃうからね。序盤でもしょぼいボスがアイテムを守ってたりするかもしれないし、レベル上げは必須」

「なるほど！　特訓というわけですね！　この世界でもしっかりと修行をしていきたいと思います！」

ライカ、ものすごく気合いが入っている……。

「そこまで気合いを入れなくても勝てるとは思うけどね。でも、ここの戦闘システムもわからないし、一度フィールドに出て戦ってみようか」


私たちはフィールドに出た。

犬みたいなものがだんだんとこっちに近づいてきた。

「むむっ、これはいわゆる敵のキャラに接触すると戦闘が開始する形式か」


「アズサ様、ほかにもいくつか形式があるのですか？」

「うん、ライカ。あるよ。敵の姿はないけど、歩いてるうちに戦闘画面に切り替わるシステム。次に、フィールド内にそのまま敵がいて、それを倒して進んでいくシステム。これはアクション要素のあるゲームに多いかな。あとは、チェスみたいに戦闘マップを移動して敵と戦っていくシステム。これはシミュレーションみたいな要素がある」

とくにゲーマーじゃなかったけど、いくつか例が頭に浮かんできたので、とことんゲームって根付いてたんだなと思った。

「勉強になります！　それでは、あのカクカクした犬に接触してきます！」

ライカが犬に触れた。

画面が突如、戦闘用のものに切り替わる。

このあたりはなかなか、本格的！


私たちの前にゾンビが三体並んでいた。


「おい！　おかしいではないか！　動いておるのは犬じゃったはずじゃぞ！　なんでゾンビなんじゃ！　しかも数すら違うではないか！　なんで三体おるんじゃ！」

またベルゼブブがツッコミを入れた！

「いや、これもお約束みたいなものだから……。多分……」

その時、私たちの頭に声が聞こえてきた。


――こんにちは～、女神様ですよ～。シンボルエンカウント方式を採用したのですが、モンスターの見た目の数だけのアイコンを作ると容量不足だったので、モンスターのアイコンはすべて犬にしました～。

それはいくらなんでも手抜きなのでは……。

ちなみにレベルを上げる行為はあまり意味がありません。このゲームは後半まで緊張感のある戦闘を楽しんでいただくため、戦闘回数によって敵もだんだん強くなる方式です。後半に強い魔法などを覚えれば結局楽にはなるんですけど、街の周囲で鍛《きた》えるといった行為はあまり意味がないです。

メタ的な発言だけど、知ってないとクリアに支障をきたすので、これは教えてもらうしかない。

なので、スライムを半永久的に倒し続けてレベルを無茶苦茶上げるという行為は不可能です。

明らかに私宛ての発言……。

別に私はレベルを上げたくて、スライムを倒してたわけじゃないんだけどな……。

「ううむ、ライカ、悪いけどレベルが上がるまで戦いまくるということはできないみたいだね。今回は諦めて」

ライカとしては黙々《もくもく》と戦い続けたかったのではないかと思い、慰めの言葉をかけた。

「いえ、敵が強くなるなら余計に特訓になります！　ひたむきに修練を続けていきたいと思います！」

「ほんとに真面目だ！」

だったら、問題はないか。このシステムなら、レベルアップに飽《あ》き飽きするということもなくて済みそうだし。

ゾンビにあまり近づきたくないといった問題は残っていたが、そこは我慢《がまん》して戦闘をしました。

私は勇者らしいので、銅の剣で攻撃した。

『ゾンビに8のダメージ！』

と、ウインドウが表示された。

当たり前だけどダメージも可視化されるんだな。

隣のゾンビが、後ろから飛んできた火の玉にぶつかって燃えだした。

『ペコラの魔法、ファイア！　ゾンビに30のダメージ！』

その一撃でゾンビはばたっと倒れた。

「おお、強い！　さすが魔法使いだね！」

「こんな弱い魔法を使うのはめったにないから新鮮ですね～♪」

「魔王基準だとそうなるか」

ゾンビは序盤の敵だけあって、ライカやベルゼブブの攻撃も加わって、あっさり全滅させることができた。だいたい攻撃が二回当たれば倒せるようだ。

『ゾンビたちを倒した！　６ＴＰと９ジェニを獲得！』

ちゃんとウィンドウにも倒したという情報が出た。ＴＰっていうのが何かわからないけど、多分技を覚えることなどに関係するんだろう。

ジェニというのはモンスターを倒して入手したお金のことだと思う。

「でも……９ジェニってどこにあるの……？」

経験のような抽象的なものじゃないから、実際にお金を見ないと不安になるんだけど。

その時、また開発者であるメガーメガ神様の声が聞こえてきた。


モンスターを倒したら、そのモンスターのふところを探って、お金をゲットしてください！


最悪すぎる取得方法！

「それ、とてつもなく重大犯罪ですよ！　ほかの方法にしてくださいよ！」


そこはリアリティを追求しました。自動的にお財布《さいふ》にお金が増えるというのは不自然じゃないですか～。

変なところだけリアリティを追求しないでほしい。

ペコラが倒したゾンビのふところをごそごそやっていた。

「あっ、お金持ってました！　ポケットに入ってました！」

陽気に言われても正直困る。

ライカも難しい顔をしていた。

「アズサ様、これはよろしいのでしょうか……？　敵のモンスターとはいえ、これは……」

「よろしくない。よい子も悪い子も真似《まね》しちゃいけない。でも、お金も稼がないとクリアが難しくなるので……」

これまで全然気にしてなかったけど、過去のＲＰＧもこういうお金の入手の仕方をしてたとしたら、主人公たちを応援しづらいな……。

正義とは何かという問題を突きつけられている気になる。

戦闘に関しては、開発者のメガーメガ神様が悪いということで妥協しました。


私たちは徐々にこの世界にも慣れ、ストーリーをこなしていった。

洞窟で重要アイテムを入手し、船を手に入れ、ほかの土地に移動する。

なお、海ではやたらと色違いのクラゲの精霊キュアリーナさんとイムレミコ船長が敵キャラとして登場した。海関係の敵を作るの、面倒だったんだな……。

もちろん、移動先の土地でも確実にクエストをこなしていった。

もっとも、価値観の違いによるトラブルはちょくちょくあったけど。

「アズサよ、おぬし、人の家にある宝箱を開けて物を入手するのは犯罪じゃぞ。勇者がそれでよいのか？」

人家の二階にある宝箱を開けていたら、ベルゼブブにそう指摘された。

「うっ……。違うの！　違いはしないけど、こういうものなの！　これは勇者だと許されてることなの！」

冷静に考えると完全に犯罪なので、説明がなかなか難しい。

ほかにも情報収集の時にライカが不信感を抱いた。

王国を歩いている住人たちと順番に会話した時のことだ。

「この城は部外者は入れないけど、城の裏手の水路から中に行けるんだぜ」

そう、住人のおじさんが言った。

「あの、我が言うようなことではないですが……そんな機密を初対面の人に話すのは危ないですよ」

「王国の大臣はモンスターが化けているっていう噂《うわさ》だぜ。国王も操《あやつ》られているらしい」

別の住人のおじさんが言った。

「……それ、絶対に他言しないほうが安全ですよ」

情報収集のあと、ライカが腕組みしながら私のところに質問に来た。

「あまりにもおかしいです。モンスターが大臣に化けていることをそのへんの住人が知っているということは、もはや公然の秘密のはず。そのままにされている理由がわかりません！　これは罠《わな》ではないでしょうか。あの人物の動向を探るべきです」

「気持ちはわかるけど、こういうものなんだよ！　なぜか住人がやけに詳《くわ》しいんだって！」

「水路の抜け道を初対面の人間に教えるのも怪しすぎます。それを信じて潜入すると、敵が待ち構えているといったことがあるのでは……」

「それも信じて大丈夫なの！　むしろ、仮に罠だとしても、そこは乗らないといけないの！」

でも、これは言ってる私も何かおかしいと感じたぐらいなので、追加のツッコミが来た。

「騙《だま》されるかもしれんとわかって突撃するのはおかしいじゃろう。ただでさえ、こちらは少数なのじゃ。敵に待ち構えられていれば、全滅するやもしれんぞ。命知らずにもほどがある」

案の定、ベルゼブブが文句を言ってきた。

「あの……そういうのは行かないと、イベントが進まないというか……。せいぜい牢《ろう》に閉じこめられる程度のはずというか……」

「牢に閉じこめられるんだったらまずいじゃろ。別の選択肢を考えるべきじゃ」

できることなら、昔なつかしのRPG三本ぐらいやってもらってから参加してほしい！

どうにかベルゼブブを説《と》き伏せて、私たちは水路からお城に潜入した。

その情報自体が罠ということはなかったのだけど、秘密のルートは警備も厳重だった。

大臣が率いる大量のモンスターに囲まれて、私たちは牢に入れられてしまった。

「あらら〜。まあ、あの数のモンスターでは抵抗もできませんよね〜♪」

ペコラは牢の中でぺたんと座り込んでいる。ペコラは完全に順応してるな。適応する能力がとことん高い。

「くそ〜！　本物のわらわならこんな鉄の格子《こうし》ぐらい、すぐさま破壊してやるというのに！」

ベルゼブブは格子を握って、前後にガシガシ押したり引いたりしている。ある種、これはこれで閉じ込められた時のテンプレ的な動きになっている。

「困りましたね、アズサ様。どうにかして脱出しないと処刑されてしまいますよ」

ライカは不安そうだ。それが、当然といえば当然か。

「うん、ピンチはピンチなんだけど、おそらくこれはどうにかなる程度のピンチなんだよ。もっと言えば自動的に発生するピンチっていうか」

こういうのってストーリー上のことだから、打開できるようになっているはずなのだ。でないと、どうしようもないクソゲーだもん。

「それでも心配なら、ペコラのほうを見てみて」

私は視線をちらっとペコラに向けた。

「どうしましょう！　このままでは全滅です！　あ〜、助けてくれる人はいないんですか！　絶体絶命です〜！　どうしましょう、どうしましょう！」

「……これはわざとらしいですね」

ライカが少し冷めた顔になった。

「でしょ。それぐらいの危機感でいいんだよ」

おそらくそろそろ助けがやってくるはず。

ずっと牢に入っていたんじゃ、ゲームにならないからね。

すると、少し離れたところから「なんだ、こいつは！」「うぎゃああ！」といった悲鳴が聞こえてきた。

悲鳴の質からして、モンスター側がやられているようだ。

そして、牢のほうに一人、冒険者らしき女性がやってきた。

「見たところ、モンスターが化けた大臣の手によって捕まったようですね」

その姿は――カクカクしたヴィジュアルのシローナ！

「シローナ！　助けに来てくれたんだね！」

「どうして私の名前をご存じなのかよくわからないのですが、助けに来たのは事実です。あなたがたも旧神を倒すために旅をしているようですので」

「よかった、よかった～。シローナの職業は何なの？」

「だから、馴《な》れ馴れしいのはおかしいでしょ、義理のお母様！　シーン上、確実に初対面なんですから！」

あっ、そうか……。私も作中の設定を無視してしまっている。

「ええと、さぞかし名のある冒険者の方なんですね。わあ、すごい、すごい。助けてもらえませんか。それから、一緒に大臣と戦ってくれるとありがたいです。五人で戦うほうがいいと思いますし。よろしくお願いします」

「ヘタクソですか！　もっと自然に話してくださいよ！　心がこもってないし、冒険者らしくもないです！」

いや、勇者の役としてしゃべろうとすると、かえっておかしくなっちゃうんだよね……。

私がグズグズしている間にパーティーのほかのメンバーが自己紹介をはじめた。

牢を開けてもらってからすればよかったのではという気もするが。

「わたくしは【魔法使い】のペコラでーす。打倒魔王です！　あと、お兄様も捜してます！」

「わらわは【僧侶】ベルゼブブじゃ」

「【戦士】のライカです。ご協力をお願いいたします」

魔法使いペコラが捜している兄がどこにいるのか不明だけど、どうせどこかで登場するんだろうな。人を捜している設定で、出てこないままということはありえないはずだ。

「やはり冒険者の方々ですね。私の名前は【勇者】シローナです」

「えっ、勇者なの⁉」

私は声を上げた。

「言っていることがよくわかりませんね。私が勇者だとダメなんでしょうか。現実でも冒険者なんですし、勇者にも適任だと思いますけど」

シローナは私の反応にムッとしている。おそらく勇者らしくないとでも思われたという反応なんだろう。

違う。そういうことじゃない。

私は自分の顔を指差した。

「私も【勇者】なんだよ。勇者として戦ってきたの！」

シローナはしばらく仏頂面《ぶっちょうづら》になって私の顔を見つめていたが――

「じゃあ、私はこれにて」

そのまま去っていこうとする！

「ちょっと！　せめて牢を開けてからにしてよ！　そこで去っていくのはおかしいでしょ！」

「だって、勇者は何人も必要ありませんし、あなたも勇者だとしたら、ここで消えてもらってもそれはそれでいいかなと」

勇者がしていい発言じゃないだろ。

「ほら、きっと、二人の勇者で世界を救うというストーリーなんだよ！　だからここは助けて！」

「ったく。しょうがないですね。さっき衛兵を倒したら牢のカギを入手したし、ここで使わないといけないんでしょう……」

シローナは愚痴《ぐち》を言いつつ、牢から私たちを解放してくれた。

RPG、牢からあっさり脱出できがち。

こうして勇者シローナがパーティーに加わり、私たちは五人編制に！

ボスであるモンスターの大臣もあっさり倒して、ここの王国に平和を取り戻した。

「あんなに弱かったら、牢に入れられたりすることもなく、最初から倒せてたじゃろ」

ベルゼブブがまたあるあるの文句を言っていた。

◇

さて、五人になったし、ここからストーリーも佳境《かきょう》に入るはずだ。

私たちは酒場で今後の予定を立てることにした。

「次はどこに行けばいいのかな。今の移動手段で行けるところはだいたい行ったんだよね」

「そういえば船で移動しようとすると、風で戻されたり、浅瀬で進めなかったり、渦《うず》が逆巻《さかま》いていて入れなかったりするところがありますね。我がドラゴンになればあっさり無視できるのですが……」

まっ、船では進めないところがあるのもRPGの基本だから、仕方ない。ライカはここじゃあくまで戦士なのだし。

「私が一人で旅をしている時に、ドラゴンが人の姿をとって暮らしている隠れ里があるとかいう話を聞いたことがありますよ」

シローナが耳寄りな情報をくれた。

こういうのは新規メンバーがなにかしらのものを教えてくれるものだ。

「それだ！　移動手段としてドラゴンか飛行艇みたいなものを手にするのが次の大きな目標になると思うよ！」

これまで行けないところに新しい乗り物で行く、これこそＲＰＧの王道パターンだと思う。

しかしドラゴンと聞いて、ライカが嫌そうな顔をしていた。


「やはり、フラットルテが出てくるのでしょうか。気が重いですね……」


あっ、それはあるか。

「まあまあ。まだ決まったわけじゃないし、ドラゴンだって、決まったセリフをしゃべるこの世界の住人かもしれないし」

トラブルは起こりそうだけど、行くしかない。

「それで、勇者シローナよ、隠れ里というのはどのへんにあるのじゃ？　隠れ里ということじゃからあまり知られておらんじゃろう。まずは見つけ出さんと話にならんわい」

ベルゼブブもだんだんＲＰＧになじんできているな。思考がそれっぽくなっている。

「この国の北にある森のどこかにあるそうです。酔っ払った酒場のおじさんが言っていました」

「どうして、そのへんの酔っ払いが知っているのでしょう？　やはり、罠では……。あるいは何の根拠もない風説では……」

ライカ、そういうのは正しいことになってるんだよ！　間違った情報ばかりだとゲームにならないから！


私たちは当然ながら、隠れ里捜索に出かけた。

しかし、このあたりから進行ペースが少しゆっくりになった。

僧侶のベルゼブブがちょっとダメージを受けるとすぐに回復魔法を唱《とな》えるので、魔力切れを起こして引き返すことが多くなったのだ……。

「むっ、ライカが四分の一ほど体力を削られたのじゃ。念のため回復じゃな」

「さすがに回復が早いでしょ！　もう少しダメージ受けてからでもいいんじゃない？」

「いいや、こういうのは早ければ早いほどよいのじゃ。体力がわずかでも削られたまま次の戦闘に入るのは怖いしのう」

やたらと堅実な性格だ……。

こんなところでベルゼブブの人となりを知ることになるとは。

実際のＲＰＧでも低レベルで強引に進むことを楽しみにする人もいれば、万全の態勢を整えてからでないとダンジョン攻略をしない人がいるんだよな。

ベルゼブブの場合、完全に後者らしい。

低レベルでボスと戦ったりは絶対にしない。しっかり鍛え上げてやっつけるという発想の人だ。

もっとも、ゲームと違ってこの夢は実際に自分たちが戦ってるようなものだから、極力無理をしたくないというのもわかる。

なお、この世界観だと戦闘で体力が尽きても、戦闘が終わると、ぎりぎりで生きている状態になる。戦闘不能にはなっても死ぬということはないらしい。夢とはいえ死にたくはないしね……。


時間がかかったものの、私たちはドラゴンの隠れ里を発見した。

角が生《は》えた人が歩いているからここで間違いないだろう。

「よし、私たちを乗せてくれるドラゴンを見つけないと」

「この世界って冒険者ギルドがないので不便ですね。冒険者ギルドがあれば、乗せてくれるドラゴンの求人を出すこともできるんですけど」

「シローナ、それだと、ゲームにならないからじゃないかな……」

お金さえ貯めると、いろんなクエストが解決するのはまずい。

カクカクした住人たちに話を聞くと、どうやら里の奥に偏屈《へんくつ》だけど、とくに立派なドラゴンがいるらしい。

「そんな気難しいと言われてる方のところに行くのは非合理的ではないでしょうか……？　もっとフレンドリーな方を探すべきでは……？」

また、ライカが実際的な判断をしようとしている！

「いやいやいや！　こういう場合、本当に偏屈なだけということはありえないから！　それが私たちを乗せてくれるドラゴンなんだって！」

言われてみると、偏屈と言われてる人のところに行くって、人の話を聞いてないとしか思えない行動ではあるよね……。

「本音を言うと、偏屈だから会いたくないというより、フラットルテが出てきそうなので嫌なんです」

「そういうことか！」

「我もこの世界の仕組みがわかってきました、また、時間のかかる無理難題を言われるに決まっています。そして、ゲームクリアまでにかかる時間の水増しを図っているんでしょう」

その指摘はかなり鋭い気がするけど、黙っていよう……。


ライカが警戒しているが、偏屈ドラゴンのところに行かないとストーリーが進まないのでそこに向かった。

だが、その隠れ里の奥にいたのは――

「あらあら～、みんな、よく来たわね～。何もないけどお茶でも飲んでいって～。今、お菓子《かし》を持ってくるわね」

カクカクしたユフフママだった！

全然、偏屈じゃない！

むしろ接しやすい！

突然の訪問者にお茶を出してくれる！

「わたしは偏屈ドラゴンよ。あっ、今日の宿が決まってないなら泊まっていく？」

配役が合ってなさすぎる。

「のう、わらわたちはドラゴンの力が必要なのじゃ。乗せていってくれんかのう」

ベルゼブブが話を進めようとする。

「乗せてもいいんだけどね～、この隠れ里の先にある山にモンスターの塔が立っていて、そのせいでドラゴンの力が衰《おとろ》えてるようなの。魔法でも使ってるらしいわね」

あっ、いかにもその塔のボスを倒せば乗せてくれるという流れだ。

「でも、今のままでも乗せていくことぐらいはできるわね～。うん、いいわ、乗せてあげるわ～」

「ダメです！　ユフフさん、そういうのはよくないです！」

私じゃなくペコラがツッコミを入れた！

「ちゃんと塔の問題を解決します！　そしたら乗せてください！　なし崩し的に乗せるというのはいけません！」

「あら、そう？　じゃあ、お願いしようかしら」

ペコラがふぅと胸を撫《な》でおろしていた。

ペコラは私よりもストーリーを壊さないようにしようという意識が強いらしい。

その日はユフフママのところで夕飯をごちそうになってから一泊して、翌日塔に向かうことになった。

「塔の攻略、気をつけてね。あっ、これを持っていきなさい。味方全員の体力が全快するアイテムよ。それとこの草を食べると、塔を出るまですべての敵の弱点と体力がわかるわ」


「難易度を下げるの、やめてもらっていいかな、ユフフママ……」

ゲームっていろいろと難しいものだな。


塔のボスは蝶《ちょう》の魔族のノーソニアだったけど、五ターンぐらいであっさり勝てた。

——と思っていたのだが、どうも様子が違う。

「ぐはぁ！　やりますね！　ならば、真の姿をお見せしましょう！」

ここで変身するボスか！

ノーソニアは発光すると、蝶の姿から——巨大なアオムシの姿に変わっていた。

「普通は逆じゃ！　なんで幼少期の姿になっておるのじゃ！」

「だって、ずっと這《は》いまわる姿で待機するのはしんどいじゃないですか」

それぐらい、ゲーム制作側でどうにかしてほしい。

「アズサさん。命の恩人のあなたとこのような形で戦うのは不本意ですが、ここで死んでください！」

「ストーリーが混乱するから、現実の人間関係を持ち込まないで」

アオムシは二ターンで倒せました。

「なんで、変身前より弱いんじゃ！」

ベルゼブブが文句言ってたけど、私はもう、このゲームのいいかげんさにもだんだん慣れてきたや……。

◇

ボスを倒した結果、ユフフママのほか、ドラゴンたちの体力も回復して、ドラゴン形態になったユフフママに乗って旅をできるようになった。

「空を飛べる移動手段が手に入ったということは、ストーリーもかなり進んできたな」

私は空を移動しながら言う。カクカクしたドラゴンに乗るのって変な感じだ。

「ふうむ、そういうものなのかのう」

「うん。各地にドラゴンでないと行けなかった土地があるから、そこに行くのがセオリーだね。そこで問題を解決していけば、じわじわと魔王の姿も近づいてくると思う」

「しかし、じわじわと拠点の塔を攻略されておるのに、のうのうとしておる魔王は何を考えておるんじゃ？　策を講じておるようにも見えんし」

「それも、そういうものなんだよ……。ほら、ペコラだって無茶苦茶強いから、一人で案外どうにかなったりするでしょ？　そういうこと……」

私たちは不自然なぐらい、周囲を高い山に囲まれているフィールドの真ん中にある村に入った。

そこでも情報収集をした。

・この村の南に湖があり、その湖の真ん中の島で賢者たちが生活しているという。
・その賢者たちは今まで勇者たちが知らなかった素晴《すば》らしい力を引き出してくれるとか。
・でも、湖の周囲には結界が張ってあるので、近くの洞窟にある勇気の印を手に入れないといけない。それがないと結界を無力化できない。
・そのうえで湖を渡る小舟も調達しないといけない。
・村の近くにまでモンスターの力が及《およ》んでおり、時間があまりない。

「どうにも、ややこしいですね……。いくつも手順がいります」

ライカはいちいちメモをとっていた。こんなところに性格が出る。

「まっ、次の目的地に行くために何か解決しなきゃいけないことがあるのは、あるあるだから。でないと単調になっちゃう」

「そういうことですね。それよりも今のうちにこの村の宝箱や隠しアイテムを探しておくべきですよ」

シローナがはっきり断言した。

「私の勘ですが、この村はそのうち滅ぼされます。それっぽいことを言ってる人がいました。私たちが何かをしたタイミングでモンスターに攻め込まれるという事態になります。その前に回収できるものを回収します」

正しい判断だけど、ゲーム内のキャラクターの立場で言われると、生々《なまなま》しいな！

「待ってください。シローナさんは勇者なのでしょう？　我はそういう村を見捨てるような考え方はおかしいと思います」

純真なライカにはその発言が許せなかったらしい。

「そりゃ、助けられるなら助けたいわよ。でも、この村が滅ぶのはストーリー上避けられないのよ。これはそういうものなの。私たち一行が無力感を覚えるのも含めて決まってるの。何の犠牲も出ずに世界を救ったら盛り上がりに欠けるでしょ。文句は開発者に言うべきだわ」

シローナの言うこともわかる！

ペコラもうなずいてるから、物語としてはそのほうが自然ということだろう。

難しいな、こういうの……。

立ち寄ったことがある村や街がモンスターに攻められて壊滅するという展開も、けっこうあるものなのだ。

主人公たちのピンチを作らないと話が盛り上がらない。かといって主人公たちが死ぬと話がそこで終わってしまうので、それはできない。

その結果、行ったことのある場所を滅ぼすという手法が割と使われる。

でも、モンスターの攻撃を受けそうなら見捨ててはおけないというのは、素朴《そぼく》な反応だよね。

滅ぼされそうだけど放《ほう》っておこうなんて勇者はおかしい。

すでに私たちは滅ぶリスクがあるぞと理解しちゃってるのだ。

メガーメガ神様に聞くこともできるかもしれないが、それはなかば反則だろう。

ゲーム開発者に問い合わせることができるプレイヤーなんて普通はいないのだ。

よし。

やれるかわからないが、やるだけやってみよう。

「じゃあ、二手に分かれようか。片方が村にいてモンスターの攻撃に備える、それでどう?」

私はみんなに呼びかけた。

それと、自然と次の言葉が口から出た。

「せっかく、勇者が二人いるんだし！」

そう、このパーティーには勇者が二人いる。

勇者が世界を救うというストーリーなら、村を救うサブエピソードがはさまったっていいんじゃないか。

自分の提案の補強ぐらいの意味で使ったのに、だんだんとそれこそが正解のような気がしてくる。

シローナも口元に笑みを浮かべた。

普段、仏頂面のことが多いから、これはよほど機嫌《きげん》がいい時の反応だ。

「なかなかいいことを言うじゃないですか、サブの勇者様」

「その表現、義理のお母様より、イラッとくるわ」

勇者が二人いるとしても同格ということでいいじゃん。シローナの言い方だと、こっちが二番手ってことが前提になってるじゃん。

「たしかに勇者が二人いるのだから、分けたっていいんです。じゃあ、村を守るのは――私とライカさんでやります」

シローナはライカの肩に手を置いた。

「え、シローナさんとですか……？」

ライカはシローナと組むのが少し落ち着かないらしい。

それはそうか。この中では一番面識が浅い関係だろうし。

「私は回復魔法が使えますから、長期戦でもある程度耐えられます。それにライカさんは戦士なので体力が一番高いです。集中攻撃をちょっと受けたぐらいではやられません」

言われてみれば、そうだ。

ペコラとベルゼブブもその意見で問題はないという顔をしている。

「私たちはそれでいいよ。でも、ライカは――」

「何の異論もありません。やらせていただきます！」


ライカも大きな声で答えた。

「そもそも、村を守りたいと言ったのは我です。ここで逃げるのでは話になりません！　絶対に村を守ってみせます！」

ああ、ライカらしいや。

それに、ある種、メガーメガ神様が言っていた修行プログラムらしくなってきたかもね。

これは自分に打ち勝つ修行も同然だから。

私とベルゼブブ、ペコラの三人は早速洞窟に入り、ボスと戦った。

ここのボスは毎ターン「嘆《なげ》きの歌」という全体攻撃を使ってくるので苦戦した。ただ、全体攻撃のほうはまだいい。ほかに問題がある。

「実績がないから仕事が来ない～♪　仕事が来ないから実績が生まれない～♪　無限の螺旋《らせん》から逃げられない～♪」

ボスが毎ターン、フルサイズで歌を歌うのだ……。一回の攻撃で五分ぐらいかかる……。

「ふざけるな！　そんなの数秒でよいじゃろうが！」

体育座りして聞いていたベルゼブブがキレた。

「ですが、数秒の歌を聞いていただいたところでダメージにならないと思いますし、せっかくなので歌を披露したいなと……」

ボスは漆黒《しっこく》のドレスを着たククだった。強そうな見た目だけど、もう少してきぱきやってくれ……。

このボスをどうにか撃破して、賢者の結界を消すアイテムを入手した。

「長かったのじゃ……。四十分ぐらいかかってしまったのじゃ……」

「多分、ここでかかった時間はゲーム中には反映されないはずだから大丈夫だよ……」

さらに賢者の島に向かうために湖を渡る小舟を確保する必要がある。

これは以前に訪れた街の職人のところに行った。

職人は月の精霊イヌニャンクだった。

「舟なら作れるわよ。ただ、私は満月の晩にしか仕事をしないというこだわりがあって――」

「今すぐ作るのじゃ！　急いでおるのじゃ！」

これは強引に作らせることに成功しました。


島へ行くためのクエストを完了させて、私とペコラ、ベルゼブブのパーティーは無事に賢者の島に到着した。

そこには賢スラとアスファルトの精霊モリャーケー、ドライアドのミユがいた。

「ああ、ここはちゃんと賢者らしいポジションの人がいるんだな」

異様に軽い人がいても説得力がないしな。

「そなたらを待っておったぞ。勇者たちよ」

――と、賢スラがしゃべった。

えっ⁉　しゃべった⁉

「賢スラ、しゃべれるの？」

「賢スラとは誰のことじゃ？　それに、スライムみたいな呼ばれ方じゃったがスライムではない。ただの人間じゃ」

「いくら役とはいえ、無理がある……」

人間と言われたってスライムじゃん。

でも、しゃべってる理由はわかった。ここはあくまでも夢でありゲームだからね。

「そなたらの勇気、たしかに見させてもらった。なお、勇者が二人いる時は、真の勇気とは何かを勇者同士で戦ってもらって確認するイベントがあったのじゃが、一人しか来てないので省略された」

「実は選択肢があったんだ！」

なにげに私たちが行った判断は重大なものだったらしい。

「さあ、そなたたちに最強の魔法や技を授《さず》けよう。これで魔王や旧神の計画を阻止《そし》するのじゃ」

『アズサは最強の魔法メテオメテオを覚えた』

というウインドウが出た。多分、爆発《ばくはつ》させる系統の魔法なんだろうな。

ベルゼブブやペコラも相当のものを覚えたらしい。

「モリャーケー……いや、そちらの賢者さんも何か教えてくれるの？」

ほかの賢者にも話を聞くことにする。

「このゲームのステータスはコマンドの使用回数によってボーナスが入るようになっているので、たとえば『防御』を選択してから、いったんリセットして攻撃や魔法を選びなおすと、防御も使用したことになり、ステータス上昇に効果が出るのじゃ」

「知識は知識だけど、伝えちゃダメなことだろ！」

「この技を使うと、敵による打撃攻撃のダメージを軽減できるぞ。ただ、最後尾の者は『防御』などのコマンドを選んだ時点で全体の行動が決定したとみなされるからできんのじゃが」

有益だけどメタすぎるので、スルーしよう。

今度はミユにも話しかける。

「重要アイテムだから捨てたり売ったりできないはずの指輪があるんだけど、開発中のミスで売れちゃうんだよね～。売ったらクリアできなくなっちゃって、リセットするしかなくなるから気をつけてね～。マジヤバだよね～」

「いや、そのセリフがあるってことは開発段階で気づいてるってことじゃないの？　直さなきゃダメじゃん！」

「違う、違う。ミユたちは自分の意思でしゃべってるだけだし。この問題もミユが暇《ひま》つぶしにさっきやって気づいたこと」

同じことをしゃべるだけの存在じゃないということか。

また賢スラが私の前にやってきた。

「そうそう、この近くの村がモンスターに攻め込まれたという話を聞いたのじゃ。どうなったのかのう……」

賢者の島に来たことでイベントが発生してしまった！

「まずいですよ！　急ぎましょう！」

ペコラはぴょんぴょんジャンプして先を急《せ》かしてくる。

「そうだね。ライカとシローナを守りにいかないと！　すぐに五人体制になれば、モンスターの軍勢もはじき返せる！」

最強クラスの魔法なんかも手に入ったし、これで一掃するぞ。

「そのことだが、拙僧《せっそう》らも手伝わせてもらおう」

モリャーケーが近づいてきた。賢スラとミユもそれに続く。

「おぬしらも協力してくれるというわけか？　命の保証はできんのじゃぞ」

「今こそ、賢者として動かねばならぬ時よ」

おお、一時的に味方が増えるイベントか。胸が熱くなるな。

「それに結界が消滅したのじゃし、外に出たいしのう。長い間、出られなくて退屈であった」

「賢者も出られなかったの！　あなたたちが結界張ってたんでしょ⁉」

ミユが手を左右に細《こま》かく振った。

「違うよ。ゲームの都合で出られなくなってただけ。ほんと、狭くてマジヤバって感じ」

こんな賢者たちから授かった魔法や技で大丈夫なのだろうか……。

さて、すぐにでも村に戻るべきなんだけど――

「勇者様、あっちにもお店があるようです」

ペコラが島にある建物を見つけた。ゲームだからここはスルーせずにちゃんと中に入る。

建物の中はいくつかお店が並んでいた。

まず、目についたのはナーガのソーリャらしいグラフィックだ。

「ここでは勇者以外の方の最強装備を売っているのですよ。お金に余裕が出てきたら、来るとよいのですよ」

危なっ！　見逃してたら後悔するタイプの建物だった。

その隣は、あまりぱっとしない店だった。こっちは怪盗キャンへインっぽいな。

「ふははは！　各地に散らばっているマコシア負けず嫌い侯のアイテムを持ってくるがよい！　持ってきた数に応じて、貴重なアイテムを授けてやろう！」

「夢の中でも収集してるのかよ！」

「マコシア負けず嫌い侯のアイテムはタンスや壺《つぼ》の中、枯れ井戸の底などいろんなところに隠れているからな。こまめに調べる習慣をつけるとよいぞ」

井戸の底にあったとしたら、もはやゴミ扱いを受けているのでは……。

ここには、また落ち着いたら来ることにしよう。


こうして、私たちと賢者の一行はモンスターに襲われている村を目指《めざ》して戻った。

村の中は大量のモンスターが闊歩《かっぽ》していた。本当に攻め込まれている。

だが、そこにライカの気合いの入った声が聞こえてきた。

「さあ！　次は誰だ！　叩き切る！」

ライカとシローナが苦戦しつつも、集まってくるモンスターを撃退していた。

「二人とも、お待たせ！」

私たちはそこに、さっと加勢する。

「アズサ様、おかえりなさいませ！　ギリギリで持ちこたえていたところでした！」

ライカの表情もぱっと明るくなる。さあ、ここから第二ラウンドだ！

「サブの勇者様、もう少し早く来てほしかったですね」

シローナの愚痴もどことなくからりと明るい響きがある。

「こういうのは助けが土壇場《どたんば》に現れるものって相場が決まってるんだよ。モンスターのほうは、ボスがいたりする？」

いるとしたら、そのボスを倒すまでモンスターは撤退しないだろう。

「村の中心に指揮官がいるという話を逃げていく村人から聞きました。こんな時に情報収集するのもどうかと思いましたけど、教えてくれましたよ」

まっ、話を聞ける相手にはとことん聞かないといけないのがＲＰＧだからなあ……。

私たちはここから攻勢に出て、ボスのところへ向かった。

実際、攻撃魔法が大幅に強化されて、敵を倒すのがすごく楽になったのだ。

「いくよ、メテオメテオ！」

私が魔法を唱えると、一発でモンスター数体を全滅させた。

「うん、強い強い。使用回数が知れてるけど、これだけ強いなら納得だ」

「お姉様の勇者様、すごいです！　わたくしも攻撃魔法が増えましたよ！　召喚獣のドラゴン出てきてください！」

今度は魔法使いペコラが魔法を唱えた。

すると、頭上にブルードラゴンが現れた。

あれっ？　もしや、フラットルテ？

「すべて完全に凍りつかせてやるのだ！」

敵モンスターが一瞬で氷のかたまりに変わる。

『突撃兵に２４４８のダメージ！』

『突撃兵に２４６６のダメージ！』

『突撃兵に２５０３のダメージ！』

これまた敵が全滅した。

ドラゴン形態のフラットルテはその力に納得したのか、さっと消えていった。

「うわあ、破壊力抜群だね……」

「ボス戦でも使いまくりたいですね♪」

私たちはボスを目指して、モンスターの群れをじわじわ押し込んでいった。

追加で仲間になった賢者たちも攻撃魔法をぶっ放していくし、簡単にボスのところまで行けそうだ。

「しかし、誰がボスをやっておるんじゃろうな。知ってる顔が担当しておるなら、ファートラかヴァーニアじゃろうか？」

ベルゼブブが予想を口にした。

「ありそうだね。魔王の側近クラスのボスとの対戦にはまだ少し早いし、ちょうどあの二人ぐらいの立場の敵が出てくる気がする」

「本当にあやつらじゃったら、出社してから文句を言ってやるのじゃ」

「修行と現実を混同するのはダメでしょ！　あっちもなかば強制参加みたいなもんだし！」

けれど、リヴァイアサン姉妹《しまい》ではない人がボスをやっていた。

ナーナ・ナーナさんらしきグラフィックの人がそこにいた。

「私は死者の王国からヘッドハンティングされて指揮官になったナーナ・ナーナです。これ以上、邪魔はさせません」

どこまでが用意されていたセリフで、どこからがアドリブかわからんな。

「こんな小さい村を攻めてモンスターにどういうメリットがあるのじゃ？　とっとと撤退せい！」

ベルゼブブが尋ねる。

「それはできません。ここを支配し、ホテル併設の激安の大型商業施設を建てて、村の地元資本の道具屋・武具屋・宿屋をすべて廃業に追い込む計画を遂行しなければいけないのです」


「資本主義で攻撃してくるな！」


それはモンスターの発想じゃない。

「魔王様は経済的にも人間を征服するおつもりです。邪魔はさせませんよ」

こうして、ナーナ・ナーナさんとの戦闘に突入した。

向こうは敵なので戦闘時のグラフィックサイズも大きくて、やけにかっこいい。

一方で味方側はＳＤみたいなサイズなので、だいぶ弱そうである。でも、こういうものなのだ。

ナーナ・ナーナさんは容赦なく全体攻撃を仕掛けてくる。

ゲーム後半のボスだけあって強敵だ。

三賢者も攻撃に参加してくれているけど、それでもきつい。

ベルゼブブは毎ターン、回復魔法をかけ続けている。そうしないと回復が間に合わないのだ。

「あ、そうじゃ、そうじゃ。伝えておくことがあったわい」

賢者の一人である賢スラが言った。

「賢者のところに来なかったパーティーメンバーも最強の魔法や技が増えておるぞ。どんなパーティーで賢者のところに来るかわからんがゆえの設定じゃ」

いかにもゲーム上の都合って感じだな！

でも、それはいいことを聞いた。

「ライカ、何か技が増えてないか確認してみて！」

戦士なら敵一人にとんでもないダメージを与える技が増えていてもおかしくない。

「アズサ様、ありました！　これを使ってみます！」

ライカが飛び上がって、ナーナ・ナーナさんに向けて剣を一閃《いっせん》させる。

『一撃剣！　ナーナ・ナーナに６２９６のダメージ！』

うわ！　とんでもない威力！

「勇者の一行、さすがですね。ここは私の負けです」

そう言うと、ナーナ・ナーナさんは金貨が詰まった袋をぽんと投げてきた。

「私を倒した時に獲得するお金です。それでは、また」

それを言い残してナーナ・ナーナさんは消えてしまった。

倒したということらしい。

変なところはいろいろあったけど、ボスを倒して村を守ることができた！

「やった、やった！　作戦成功だね！」

私たちは集まって勝利を讃《たた》え合った。

大変なイベントだったけど、無事に乗り越えることができた。

そこに賢者役の賢スラがまた重要な情報をくれた。

「人間が住んでおらん岩山に囲まれた島の中に、魔王のいる世界との通路ができておる。そこから魔王の世界に行き、魔王の四人の重臣である四天王と、魔王を倒すのじゃ。魔王がやられれば、旧神もいよいよ姿を見せるじゃろう」

ものすごく説明臭いセリフだけど、これは台本そのままに言ってるな……。

いよいよストーリーもクライマックスに近づいてきた。ここからはひたすらボスと戦っていくことになりそうだ。

「魔王の侵略は着々と進んでおる。勇者たちよ、なんとか止めてくれ」

賢スラがしゃべるのもだんだんと慣れてきた。

「ワシらも行きたいのじゃが、腰が痛くてのう。ここでお別れじゃ」

賢スラにも腰ってあるのかな。

私たちパーティーはアイテム購入のためにお店に入った。

「ところでこの世界の魔王は何者なんじゃろうな。少なくとも魔王様でないことだけは確かじゃ」

ベルゼブブがペコラのほうを一瞥《いちべつ》した。

「それは気にはなるね。今後もボスクラスは誰かが演じてる可能性が高いし」

「まあ、誰が相手でもやることは同じじゃがのう。回復魔法節約のために、体力全快の回復ドリンクを購入しておくのじゃ。それで自分の本拠地に籠《こ》もっている魔王とやらを叩《たた》く」

ベルゼブブもずいぶん前向きにやる気になっている。

ただ、キャラクターとしてのやる気というよりは、ゲームとしていかに攻略するかという視点だ。ゲームなのだから、そういう楽しみ方があってもいい。どちらかというと、なりきっているペコラのほうが例外的だ。

「賢者が魔王が侵略してきておると言うておったが、攻め込むのはこっちじゃし、向こうは押されておる側で、矛盾《むじゅん》しておる。だんだん、その変なところにも慣れてきたがのう」

「こっちは少数精鋭で敵の本拠地を叩くわけだから、侵略自体はされつつ、こっちが攻め込むっていうのも成立するんじゃない？　大軍同士で戦うのとは違うんだよ」

「むっ……。それもそうか。どちらにせよ、回復を万全にするまでじゃ」

だが、回復ドリンクを手にした時、ベルゼブブの表情が強張《こわば》った。

「おい、魔王側の攻勢はじわじわと進んでおるようじゃ……」

ベルゼブブは回復ドリンクのラベルのところを指差した。

そこにはこう書いてあった。

安心と安全の魔王じるし

「魔王側の資本が入ってきてる！」

ナーナ・ナーナさんの言葉はガチだったのか……。

「これは早く魔王を倒したほうがよさそうじゃな……」

かといって、回復ドリンクは必要なので私たちは二十本ほど購入しました。

私たちはしばらく準備を整えるのに時間を使った。

まず、お金を貯めて勇者以外の最強装備を賢者の島にあるソーリャの店で購入。

とくにライカの剣が新調されて、攻撃力が大幅に上がった。

さらに、まだまだ訪れたことのないスポットがあるので、ドラゴンのユフフママに乗ってフィールドを回った。

「あっ、岩山に囲まれた不自然な森がありますね。あそこに降りてください」

シローナが目ざとく何かを見つけたらしい。

「我には何もない森に見えるのですが」

「何もない森が不自然に入りづらいというのはおかしいです。きっと何かあります！」

シローナが強く主張したので、森に降りると本当に何かがあった。

画面が——木々《きぎ》の間に小屋がぽつんとあるものに切り替わる。

「これは隠しスポットだね。こんな趣向もあったんだ」

小屋に入ってみると、そこにはマースラらしきアイコンの人がいた。

「おやおや、見つかってしまいましたね」

そうか、現実のマースラもこんなふうに魔法で工房を隠していたな。

「ここは隠者の隠れ家です。あなたたちに耳寄りなことをお伝えしましょう。この森の奥に勇者の最強装備を持っている精霊がいます」

まさか、こんなところに最強装備があるだなんて！

これはありがたい。やっぱり最強装備にしてからゲーム終盤に向かいたいからね。

でも、肝心のことを忘れていた。

「これでワタシも勇者らしい装備になれるんですね。ありがたいです」

あっ、勇者が二人いるんだった……。

シローナもそのことに今更ながら気づいたらしい。

「あっ……。この場所を発見したのはワタシですから、最強装備も渡しませんからね?」

「わかってるよ……。そこはシローナに優先権があると思うから」

こんなところでもめてもよくないし、素直に譲ろう。

「なお、最強装備は剣と鎧《よろい》がセットなので、必ずまとめて身につけてくださいね」

「はい、隠者さん。もちろん、両方装備しますよ!」

パーティー全体のスペックが上がることには違いないし、ここはプラスに受け止めよう。

私たちは早速精霊がいるという森の奥へと向かった。

ぽっかり木々が抜けたようになってるところに異様に大きなスライムが現れる。目の前にモンゴルのゲルが出てきたような感じだ。

これは大スライムか。

大スライムはスライムの思念が集まってできた一種の精霊で、ファルファとシャルシャの二人もお世話になっている。

「勇者よ、ここまでよくたどりつきましたね。善なるスライムの思念の集合体、大スライムです」

大スライムが語りかけてくる。

「魔王や旧神に打ち勝てるように、最強装備のスライム百パーセントの鎧、スライム百パーセントの剣を授けましょう」

「変な名前の装備ですが、ありがたくいただきます！」

シローナもノリノリだ。これは誰だって気持ちが上向くだろう。

「それでは早速装備してみますね！　今の剣も鎧もいりません！」

そして、シローナは水を固めたような剣と鎧を見につけた。

水みたいなものだから、思いっきり透けていた。


「ひゃああああ！　なんですか、これ！　下着が見えてるじゃないですか！　大問題です！」


「スライム百パーセントの鎧は汚れなきスライムの心が集まってできたアイテムですから、素晴らしい透明度を誇っています」

「じゃあ、いらないです！　元のままの装備で戦います！」

シローナはあっさり元の装備に戻した。

これがゲームならキャラがどんな装備をつけようとさほど問題はないのだけど、自分が装備すると考えると、話が違ってくるな……。

そのスライム装備をペコラが私のほうに持ってきた。

「勇者様はいかがですか～？」

「絶対着ないからね！」

◇

ついに私たちはモンスターの世界に入った。

こういうゲームにありがちだけど、やけに不気味な空間だ。こんなところに住みたいとはモンスターたちだって思わなそうだ。

四天王がいる洞窟や塔はちょうど東西南北に置かれているので、これを攻略していく形になる。

四天王を全部撃破すると、魔王のいる城に入れるというシステムだ。

「ここからはボス戦ばかりだろうから気を引き締めていこう」

ストーリー上、魔王を倒しても旧神のほうと戦うことになるわけだし。

「ですね。でも、わたくしはほかにも気になるところがあります」

ペコラは少し不安そうな顔をしている。

「何かあったら遠慮なく言ってね」


「行方《ゆくえ》不明の兄が行方不明のままなんです」

「そういえば！」

「こういう物語で最後まで出てこないということはありえないんですけれど。まさか魔王になってるとか？」

「ありえないとも言い切れないんだよなあ……」

兄や仲間が敵として現れるというのも、よくある展開なのだ。


謎が残ったまま、私たちは最初の洞窟に入る。

敵も強いけれど、最強の攻撃魔法や技で片っ端から倒して、魔力はアイテムで回復するというやり方でどんどん地下の最深部を目指す。

「さあ、最初の四天王は誰だ？　誰であっても、やっつけるよ！」

私も気合いが入っている。

体感時間としては相当長くやってるのだ。のめり込んでいると言っていい。

最深部のいかにもボスがいそうな広間に出てきたのは――ファルファとシャルシャ。

「四天王の一人、ファルファとシャルシャだよ！　勇者たちをやっつけちゃうから！」

「同じくシャルシャ。ほかの三人の四天王に会わせるまでもなく、ここで墓場に送ってしまう」

うんうん、魔王の幹部という感じの服も似合っている。ファルファとシャルシャは何を着ても似合うな～。

しかし、少し混乱する要素があった。

「ねえ、二人とも。結局、四天王は何人いるわけ？　二人で四天王の一席ってこと？」

だったら、人数だけなら五人いることになるぞ。

「ファルファとシャルシャで一人の四天王って扱いだよ～」

「二人揃《そろ》えば、うれしいことは二倍。ただし、二人いるからこその軋轢《あつれき》もある。お菓子をもらっても半分にしなければならない」

シャルシャはマイナス面まで正直に言わなくていいと思う。

だが、これは厄介なことになってしまった。

「二人と戦うのは嫌だ！　四天王役でも嫌！　修行プログラムでも嫌！」

私は剣を鞘《さや》に収めた。

「うぉ、わらわも娘と戦うのは無理じゃな……」

ベルゼブブも一歩引いた。

「待て！　娘って言うな！　戦う気が起きないことを利用して親アピールするな！」

「おのれ。魔王は卑劣じゃ。娘と戦わせようとしてくるとは！」

「やめろ！　それ以上言ったら攻撃魔法をかけるからね！」

私とベルゼブブの間だけ戦闘どころじゃなくなってしまった。

「混乱する魔法をかけたわけじゃないのに、仲間割れをしちゃったね〜」

「チームワークがないに等しい。よくここまで来られたと思う」

ファルファとシャルシャもあきれている。

パーティーとしての結束はないもんな。

「やむをえません！　残りの三人で戦いましょう！　これは現実ではありません！　耐えられます！」

ライカは覚悟を決めたようだけど、そんな簡単にはいかなかった。

シローナが剣を捨てた。

「私もお姉様方に剣を向けることはできません。ここで負けを、選択します！」

「このパーティー、ファルファちゃんとシャルシャちゃんが来たら詰む仕様になってませんか!?」

ライカも重大な欠陥に気づいたようだ。

ペコラも「これは無理ですね～」とお手上げのポーズを取っていた。ライカもペコラも私たちほどじゃなくても、積極的に戦える気持ちではないようだし、勝負にならないな。

「ファルファたちは全力で行くよ～♪」

「手加減は無礼。誰に対しても真剣勝負」

一方で、四天王側はやる気らしい。

これ、どうしたらいいんだろう。

戦う前から絶体絶命だ。一回全滅してから考えるか……。

しかし、その時――

何かが飛び込んできた!

「諦めちゃいけねえぜ！　ペコラたち！」


そのグラフィックはロザリーか！

ロザリーはファルファとシャルシャのほうに飛んでいくと、三人揃ってばたばた倒れた。

「へっ、お前らも道連れだぜ……」

「負けちゃった～♪」

「無念。だが、魔王様の計画を止めることはできない」

あんまり緊迫感がないけど、ロザリーが自分の身を犠牲にして四天王を倒したということらしい。

でも、ロザリーってどういう役で出演したの？

このゲーム内ではまだ面識もないはずなんだけど。

すると、ペコラがロザリーのそばに走り寄っていく。

「お兄様、お兄様なんですね！」

あっ！　ペコラの行方不明の兄の設定がここで回収されるのか！

「そうだぜ、ペコラ。お兄ちゃんはな、ずっと魔王たちと戦ってたんだぜ」

「お兄様、生きていたんですね。ペコラ、感激です……」

ペコラは役に入りきっているらしく、涙まで浮かべている。

生きていた兄役が幽霊だからややこしい！

「お前の顔をまた見られてうれしかったぜ。でも、お兄ちゃんはお別れの時が来たようだ」

「お兄様、死なないでください！」

だから、役者が死んでるからややこしいんだよ！

ロザリーもファルファとシャルシャの二人も点滅《てんめつ》して消えてしまった。

「お兄様、わたくしは必ず魔王も旧神も倒して世界を平和にします！」

ペコラは決意を新たにして、握りこぶしを作っていた。

ベルゼブブがちょんちょんと私の肩を叩いた。

それから、ぼそぼそ耳打ちしてきた。

「あの兄とやら、魔王側とずっと戦ってここまで来ておるのに、なんでボスの一人も倒してなかったのじゃ。賢者たちもあやつのことなど一言も触れておらんかったぞ」

「細かいことを気にしたら負け。……細かいことが多すぎるから、気になってくるけど」

ペコラだけが全力で役になりきっているから余計にズレてしまっているなと思いました。


そこから先の四天王戦は楽に進んだ。

二番目の四天王はブッスラーさんだった。

「ふふふ、お前たち人間はお客様の満足に対する意識が低すぎる。それでは魔王様に勝つことはできん！」

またお金がらみのことを言っていたけど、僧侶のベルゼブブが即死系の魔法を使ったら一撃で勝てました。


三番目の四天王はミスジャンティーだった。

「ふははははは！　どうせ、お前たちはラブ＆ピースが大事だとか思ってるはずっス！　それだけじゃ足りないっス！　ラブ＆ピース＆マネーでなきゃ世界は救えないっス！　お金がなければ心はズタボロっス！」

みんな台本を守ってないだろ！

ミスジャンティーには炎系の魔法がよく効いたので、それで倒しました。


最後の四天王は洞窟の魔女エノだった。

「魔王を失脚させて、私が次の代の魔王になるのです。すでにある魔王の地盤を引き継いでやります。創業者一族が代々世襲するような体質は古いのです！」

魔王を裏切ろうとする幹部というのはありがちだと思うが、どこかズレてる！

エノは魔法が効きづらいので物理で叩く形になった。

こっちが攻撃を受けても、すぐに僧侶が回復魔法をかけてくれるので問題ない。

「あとで宿に泊まったりすればいい戦闘は気楽じゃ！　回復魔法使いまくりなのじゃ！」

たしかにこの手のボス戦は魔力の消費を気にせずにやれるのでありがたい。

エノ戦はほかの四天王よりは時間はかかったが、苦戦というほどのことはなかった。

というか、ライカが習得した最強の技が強すぎるので、それを五、六回喰《く》らわせるだけで四天王には勝ってしまうらしい。

「くっ……。この私が敗れるとは……。まあ、いいです……。あなたたちが魔王を倒すなら、それはそれでかまいません……」

そういう問題なのか。


エノを倒すと、地震みたいな横揺れが起きた。

「えっ？　何が起きてるの⁉」

「四天王が全滅して、魔王城の結界が解かれた反動です。せめて私の代わりに魔王を倒してくださいね……」

さあ、このゲームもいよいよクライマックスが近づいてきた！

魔王もサクッとやっつけるぞ！

◇

魔王城は複雑で、攻略には時間もかかったけど、私たちはこつこつとマップを歩き回った。

というか、ここでも慎重派のベルゼブブが一フロア進むごとに一回町に戻って体力を全快しようと言い出したので、数回に分けて攻略することになった……。

「いや、まだ余裕があるうちに戻るのはおかしくない？」

「余裕がありすぎるぐらいがちょうどいいのじゃ。ギリギリでやりくりすることを前提にしていたために有事にえらいことになった省庁がいくつもあるのじゃ！　こういう保険はかけられるだけかける！」

大臣と一般人では背負っている仕事の重さが違いすぎるので、結局、従《したが》いました……。

確実に攻略はできるけど、その分、緊迫感は減ったな……。


で、五回目の魔王城探索にて――

いよいよ魔王がいそうな広々とした空間に出た。

ただ、その空間自体はがらんどうで無人だ。でも、奥に扉が一つだけある。

「どう考えても、あの先が魔王の間《ま》じゃろうな」

ベルゼブブは言いながら袋に入ったアイテムの数を確認したりしている。

回復ならあの部屋に入る前にしたほうが無難だ。入室した途端、強制的に戦闘に入るおそれもある。

「だろうね。いったいどんな奴が魔王なんだろう」

「なにせ魔王なんですから、威厳のある方ならいいですね～♪」

普段のペコラはそんなに威厳を持ってるタイプじゃないと思うけど、お話の中では魔王は魔王らしくあってほしいのだろう。

「あの、皆さん、壁の一部がガラス張りになっていて……そこに何かが入っています」

ライカが何かに気づいたらしい。

もしや、壁を調べると隠しアイテムが手に入る仕組みでもあるんだろうか。

目線の高さの壁がたしかにガラス張りで、ショーウィンドーみたいになっている。

そこにはずらっとお店で買えるアイテムが並んでいた。

「本当にアイテムを入手できるのかな？　だったらお得だけど」

しかし、ショーウィンドーの隅にこんな文字が書いてあった。


未来に活力を！　魔王じるしのアイテムたち

「企業の本社ビルの商品サンプルかよ！」

私は頭を抱えた。

ここの魔王がどういうものか誤解している。

「義理の勇者様、あっちにも『人間の企業に品質でも値段でも打ち勝つ！　信頼と実績の魔王じるし』などと書いてありますよ……」

なんかシローナにどさくさに紛《まぎ》れて失礼な呼ばれ方をしたぞ……。

もう、魔王が誰かだいたい察しがついた。

奥の部屋に入ると、変な角のついたハルカラらしき人がいた。

なんで「らしき」と言ってるかというと、普段のグラフィックはつぶれ気味で確証が持てないせいだ。


「皆さん、ついにここまで来ましたね！　わたしが魔王のハルカラです！」


「うん、そうじゃないかなと思った」

魔王ハルカラは私たちの前でクマみたいに左右に歩く。立ち尽くしたままだとしゃべりづらいらしい。

「魔王というのは世界を席巻《せっけん》するものだと聞きましたので、わたしなりのやり方でそれを実践しようとしてみました。人間の方の土地で売ってる商品もどんどん魔王じるしで塗り替えていこうかなと！」

これだけ聞くと別に倒さなくてもよさそうなんだよなあ……。

「あっ、そうだ、皆さん、これをもらってください」

ハルカラは名刺的なカードを順番に配ってきた。以前にノーソニアに配ってたし、そういう風習があるのは知ってたけど、今はやらないでほしい。

「皆さん、ここまで来られただけでも素晴らしいです。世界の半分の統括マネージャーとまでは言えませんが、一国の統括マネージャーのポストは用意しますが、降伏しませんか？」

引き抜こうとするな。

と、ペコラが一歩、二歩とハルカラのほうに近寄った。

魔法使いがよりにもよって魔王に接近するのは危ないぞ。

それとも、降伏するとでも言うつもりか……？

「ハルカラさん♪」

いつもどおりのペコラの笑顔のようだけど、凄味《すごみ》のようなものを感じた。

「魔王役、真面目にやってくださいね♪　あんまり変なことをすると、本物の魔王のわたくしが教育しちゃいますよ♪」

「あっ！　すみません、すみません！　今からしっかり戦闘をやらせていただきますので！」

ハルカラもこれはヤバいと悟ったらしい。

演じてる最中にふざけることはペコラにとって厳禁なのだ。

「すみませんというのはおかしいですよ？　魔王なんだからもっと尊大な態度でいなきゃ真面目にやってることにはなりませんよ？」

「ごめんなさい、ちゃんとやります！　あっ……謝ったらダメなんですね……。でも、本物の魔王の前でひどいこと言うのは無理がありますよ！　どうしたらいいんですか、お師匠《ししょう》様！」

「勇者に助けを求めるの、やめてよ」

「ほら、魔王なんだから勇者に助けを求めないでください！　しっかりしないと許しませんよ？」

ペコラが怒ると、ハルカラが困る。
ハルカラが困ると、さらにペコラが怒る。
これは無限ループ！

「もう、いいです！　戦闘です、戦闘です！」

ついに魔王との戦闘に入った。
敵の魔王は戦闘用の大きなグラフィックに変わる。

そのグラフィックだけど、かなり露出が大きいものだった。

「ハルカラさん、その……舞っている布だけで身を隠すというのは、破廉恥《はれんち》では……」

ライカが顔を赤くして目をそらした。

これはＲＰＧ後半のボスキャラあるある！　割と裸に近い格好の敵もいる！

「えーっ！　わたしも知らなかったんですよ！　ほら、水着的なものだと思っていただければ……」

ハルカラのほうも予想していなかったらしい。まっ、魔王なら戦闘時のグラフィックがどういうものか知らないよね。部下と戦闘することも普通はないし。

戦闘自体は思ったよりまともに進行した。

ハルカラが大ダメージを与えてきたあとに、「傷を負った時は魔王じるしの全快ドリンク！　これで長期戦も乗り切れます！」と一度、こっちを回復させたことがあったけど……。

その直後から、ペコラが破壊力の高い攻撃魔法を連発しまくった。

「わたくしは不真面目にゲームをする人は許しませんよ♪」

顔は笑っていたけど、本当に怒っている時の反応だな……。

「ご、ごめんなさい！　どうしても、自分のアイデンティティーが出てしまうというか……」

「どうして謝罪するんですか？　魔王が謝罪していいわけないじゃないですか」

また、謝罪すると、謝罪したこと自体を責められるという無限ループになってる……。

最後はシローナが賢者イベントで習得した最強クラスの剣技で対魔王戦は決着した。戦闘のグラフィックも解けた。

「うう、さすが勇者たちですね……」

普段のグラフィックがＳＤキャラサイズなのでわかりづらいけど、ハルカラは腹ばいに倒れているらしい。

「ですが、わたしも所詮《しょせん》は旧神の都合で動いていただけの存在。旧神を倒さないと世界に平和は戻りませんよ」

ここはお決まりの展開だ。

「この魔王城の外に神の世界への入り口があります。止められるものなら止めてみればいいじゃないですか。……ぐふっ」

説明的なセリフとともに魔王は消滅した。

「さて、まずは魔王をやっつけたよ。ラスボスまでこのまま行こう！」

私たちはぱんぱんとお互いの右手を合わせて、勝利を祝った。

この即席パーティーも長い付き合いになってきたし、チームワークも取れているんじゃないだろうか。

◇

神の世界はフィールドが虹みたいに派手《はで》な色になっていて、目がチカチカする。

「うわあ、いかにもラスボスがいる場所だ……」

こんなところで日常的に暮らすの、きつそう……。

「もう、ひとぶんばりですね。旧神を倒して世界に平和を取り戻しましょう！」

ライカもすっかりゲームの世界になじんでいる。

役になりきるようなことは、ライカはあまり得意なタイプじゃないと思っていたから、なかなか新鮮だ。

もっとも、私もすっかり勇者のつもりでいる。

「うん！　ここまで来たらゲームの世界を救ってやろうじゃないか！」

現実には世界を救うなんてとてもじゃないけどできない。

そもそも、様々なものが複雑に絡《から》み合《あ》っていて、わかりやすい解決策はない。

だけど、この修行プログラムの中での答えはシンプルだ。

旧神を倒すこと。

なら、できないこともない。

この神の世界には街はないらしい。神の世界だから当然か。仮に人が住める環境だとしても、世界が輝きすぎていて落ち着かないから、ほかのところに引っ越したいだろう。

それでも敵はいる。ザコキャラを示すグラフィックの存在に接触して戦闘になる。

果たして神の世界のザコキャラってどんなものなんだろう。

モンスターは魔王の配下だから、モンスター的なものはいないはずだし。

『ニンタンが現れた！』

「朕《ちん》がザコ扱いなのはおかしかろう！」

いきなりニンタンがキレた。

「まあまあ。こういうのって敵のグラフィックのほうが大きいから、ザコといっても私たちよりよっぽどかっこよく見えるよ」

「そんなフォローがあってたまるか！　登場させるならせめてボスにせよ！」

メガーメガ神様に文句を言っているニンタンの体に石の雨が降《ふ》り注《そそ》いだ。

ペコラが攻撃魔法を唱えていた。

「おい！　しゃべっている間に攻撃するのはやめにせい！　卑怯《ひきょう》であるぞ！」

「ダメなのは役になりきっていないそっちですよ〜♪」

ペコラ、真剣だな。ふざける時と真面目な時の切り替えが上手いタイプだと思う。

「うむ、メガーメガの奴は今度カエルにする。それはそれとして――」

ニンタンが私たちの顔を一人ずつ見据えた。

「この先の神域《しんいき》はとことん全力で向かわんと返《かえ》り討《う》ちになる。ゆめゆめ気をつけよ。神域は修行プログラムとして機能するように神との連戦が設定されておる」

これはガチな忠告のようであるらしい。

「今のうちに覚えておきたい技や魔法は習得しに戻れ。アイテムも再度整理しておけ。神域に入って全滅すると神域からのスタートになるから、旧神に勝てない実力だと永久に全滅し続けることになって詰むのである」

ラスボスの直前でセーブしたことによって詰んでしまう現象！

最後のダンジョンって入ると元の世界に戻れない仕様だったりするんだよね……。

「うん。ありがと。しっかりやるよ」

「よし、心して行くがよい」


いい顔をしたニンタンのところに攻撃魔法が降り注いだ。


「終盤ではザコキャラも強いですね！」

一切《いっさい》容赦なく、ペコラが倒しちゃった！

◇

神域という空間は、入ると足下がふらふらした。

なんというか、地面がないところを歩いているような感覚なのだ。

ここは本物の神の空間を元にして作ったんじゃないだろうか。

「冒険者をやっていろんな場所に足を踏み入れましたが、こんなところは初めてです」

シローナの表情にも本職の時の緊張感が見えている。

「我も落ち着きませんね……。現実世界なら空を飛んでしまいたいところです……」

「それだけ、終わりに近づいてきておるということじゃ。もうちょっとだけ辛抱《しんぼう》せい」

さあ、最初のボスは誰だ？

視界の先にもじゃもじゃした大きな毛玉が立っている。

そのもじゃもじゃした毛玉から顔と手が出てきた。

「……小生は死神オストアンデ。お前たちに死を与えよう。ここで死ね」

神域一発目のボスはオストアンデか。

死神ならゲーム終盤に出てきても何の違和感もない。

「ペコラ、攻撃力アップの魔法をライカとシローナにかけて！」

しかしペコラ……そしてライカも、まるでつないでいた線が切れたようにばたばた倒れた。

「えっ？　ライカもペコラもどうしちゃったの？」

「……これぞ小生の即死系能力。『死神の引導』なり」

「本格的に死神みたいな力を使ってきた！」

「……現実世界でこういうことをすると、ものすごく責任問題になるからできないけど」

あっ、だんだん口調がいつものものに戻ってきたな。

僧侶のベルゼブブが倒れていなかったおかげで、再生魔法でかろうじて巻き返すことができた。

死神は体力自体が低かったので、次の即死系能力を喰らう前に総攻撃をかけた。どうにか、撃破。

「いきなり倒れてしまい、びっくりしました。まだまだ修行が足りませんね……」

戦闘終了後、ライカがしきりに反省していた。

「いや、多分、あれは修行を極《きわ》めてもやられる時はやられるやつだよ」

即死系の魔法を使うタイプのボスもよくいる。

でも、そういう難関もクリアしたので、ここからは実力で乗り越えられるはず。

さて、二番手のボスのところに向かうぞ。

あみだくじみたいな道のわかりづらいマップを迷いながら進んでいくと、赤茶色の長い髪を縛った、中性的な雰囲気《ふんいき》の人物が立っていた。

こんなところに一般人がいるわけがないから、ボスで間違いない。

「僕は運命の神カーフェン。二ターンに一回、回避不能の即死系能力『避けられぬ運命』を使うよ」

「能力が一人目とかぶってるじゃん！」

ダメージじゃなくて即死系能力でばっかり強さを出すの、やめてほしい。鍛えてきた意味がなくなる……。

「そちら側の都合は気にしない。喰らえ、『避けられぬ運命』！」

また、ペコラとライカが即死系能力でばたりと倒れた。

こういうのが効きやすい人とそうでない人がいるのかな……。

もっとも、こっち側のパーティーも負けていなかった。

「即死系魔法『神の報《むく》い』じゃ！　わらわの最強魔法じゃ！」

一ターン目からベルゼブブが、敵の効果に似たような魔法をかける！

でも、そういう魔法ってこんな後半のボスには効かないものなんじゃ――

「それは僕の苦手なやつで……あっ、ダメだ……」

運命の神カーフェンはその一撃で倒れた。

「やったらやり返されるのじゃ。それは運命の神じゃろうと同じということじゃな」

ベルゼブブはドヤ顔しながらペコラとライカに回復魔法をかけていた。

即死系魔法を喰らっても、戦闘が終わると瀕死《ひんし》の状態ではあるが生きているということになるのだ。なので回復魔法で体力全快まで持っていける。

「ベルゼブブさんって石橋を叩いて渡る性格だと思っていたんですけど、アグレッシブになる時にはなるんですね」

シローナが不思議そうな顔をしていた。

ベルゼブブが慎重に行動することはこの冒険の中で全員に知れ渡っている。

「長引くと回復魔法を何度も使うことになるじゃろ。なら、ダメ元で一発即死系魔法を使うべきじゃと判断したのじゃ」

前提になっている発想はあくまでも節約なんだ……。

「今のうちにほかの者も体力は全快にしておくのじゃ。ラスボスなら、こちらの体力を一撃で削るぐらいの攻撃魔法を持っておるかもしれんからの」

偶然なのか狙《ねら》ったのかわからないけど、ベルゼブブの性格って僧侶に向いてるな。

「ところでラスボスは旧神と呼ばれているから、やはりあの方なのでしょうか？」

ライカの質問に私は「だろうね」と答えた。

「この神域って場所に来てからボスは現実でも神様だったメンバーだからね。旧神も旧神が出てくると思う」

だいたい、私が知ってる存在ってほぼ出演してるから、選択肢があまり残ってないんだよね。最後の最後で面識ない人ってことはないだろう。

神域の最も奥に彼女は浮かんでいた。

いかにも神様ですといった白いローブ姿で。


「ワタシ、旧神デキアリトスデは世界を作り変えるのデース」


案の定、デキさんか。見た目はゆるいが無茶苦茶強いのは知っている。

ほぼ確実にとてつもない激戦になる。

「サブの勇者様、戦闘の指示を一任します」

シローナが小さな声で私にそう言った。

「ほんとにいいんだね？」

「現実のあの方は、それぞれが勝手に動いて勝てる敵ではないんですよね。その神にサブの勇者様は勝ったことがある。なら、それに従いたいと思います」

ほかのみんなの目も私を向いている。

託《たく》されたと考えていいね。

「わかった。若輩者《じゃくはいもの》だけど、精一杯やらせてもらう！」

いよいよ戦闘開始だ。

戦闘用の画面に世界が切り替わる。

「まず、ペコラとベルゼブブは攻撃補助系魔法をお願い！　とくに魔法ダメージを軽減できるやっ！」

桁外《けたはず》れの威力の攻撃が来るはずだ。防御は必須！

でも、先にデキさんがシローナに雷撃系の最強魔法を唱えてきた！

「いきなり体力が七割ぐらい減ったわ！」

さらに「三回攻撃の二回目デース！」と私に通常攻撃らしい氷の刃をぶつけてきた。

これでも三分の一は体力が削られる……。

ペコラも直後に通常攻撃を受けて、体力の半分以上を削られていた。

「容赦ないな……。ライカは毎ターン攻撃で！　敵一体に効く最大ダメージのやつ！　シローナは自分の体力がない時は自分で回復！　回復の必要がない時は攻撃力を高める魔法を唱えたうえで攻撃！　ペコラは味方全体を回復させる杖《つえ》を振るって！」

ベルゼブブは言わなくても、どうせ回復魔法を使うだろうと思ったけど、うん、全員を全快させるものすごく魔力を消費する魔法を使っていた。

「いやいや！　それはさすがに魔力が尽きるからまずいって！」

「しかし、ケチケチすると味方が死にまくるぞ！　大丈夫か？」

「そこも計算に入れてるから！　私を信じて！」

序盤は防戦でいい。こういうのは攻撃をする仲間と、そうじゃない仲間をはっきり分けて、そのうえで継続的な戦いができればいいのだ。

こっちのメインの攻撃役は戦士のライカ。

『一撃剣！　デキアリトスデに7515のダメージ！』

よしよし。ライカの一撃剣がとんでもないダメージなのはラスボスに対しても同じだ。

ベルゼブブとペコラは体力に余裕があるターンは、こちらの守りを万全にする魔法を唱える。

それもデキさんがなんらかの効果で打ち消してしまうかもしれないが、それに一回手順を使わせられるなら、そんなもったいない話ではない。

ラスボスの体力がどれだけあるかは不明だ。長期戦になってもしのげる状況を作っておくのが大切なのだ。

で、私も余裕があるターンは攻撃に入る。

ゲーム上は最強装備ではないけど、それでも十分に戦えるからね。

「デキさん、覚悟！」

『勇者の一太刀《たち》！　デキアリトスデに4686のダメージ！』

攻撃力に特化したライカほどじゃないけど、それでもかなり削れてる！

「これなら回復さえ間に合えば倒せそうじゃのう！」

ベルゼブブも手ごたえを感じているらしい。

その反応自体は間違ってない。

ラスボス戦は序盤に長期戦をできる状況を作れるかどうかが最も重要なのだ。

しかし、油断は禁物。

「おそらく第二形態だってあると思う。ボスは変身するものだし、相手はデキさんだから」

デキさんにとって人間のような姿は、いつでも変更できるオプションみたいなものなのだ。

案の定、三万ほどダメージを与えたところで、浮いていたデキさんが地上に降りてきた。

「その姿、なかなか魅力的なのデース。使わせてもらうのデース」

デキさんの姿が私そっくりのものになる。


そうか、勇者の姿で戦うということか。

なるほど、修行プログラムらしいなと思った。

私自身と戦えってことだもんね。

ゲームの皮をかぶっているけれど、このあたりは本格的な修行のようだ。

「自分との戦い、受けて立つよ！」


だが、私よりもどちらかというとパーティーに影響が出ていた。

「うっ……。我はアズサ様の姿をしたものに切りつけるのは、ちょっと……」

最強のアタッカーのライカの攻撃の手が止まっている！

「いや、ライカ、明らかにあれは偽物《にせもの》だから！　本物はここにいるから！」

「し、しかし、拳《こぶし》で戦うならまだしも剣を使うというのは、心理的に難しいです！」

「アズサそっくりデース！　イエーイ！」

口調も私と全然違うので、そこは割り切ってほしいな。

まずいな。最強アタッカーのライカの攻撃が止まってしまうと、体力を削りきれない。

次はベルゼブブの番か。ベルゼブブは原則終始回復なんだけど。

『ベルゼブブは即死系魔法「神の報い」を唱えた！　デキアリトスデには効かなかった！』

「ちょっと！　なんで即死系魔法を使ってるの？　いくらなんでも、ラスボスには効かないって！」

「アズサの姿をしているから試したくなったのじゃ」

発想が悪質すぎる。

待てよ……。次はシローナの番なんだけど。

『シローナの「無塹剣《むざんけん》」！　デキアリトスデに4308のダメージ！』

「どちらが最強の勇者か決める戦いですね。面白《おもしろ》いです！　賢者のところではパーティーが分かれていてイベントが発生しませんでしたし」

「さっきより好戦的になるの、やめろ」

どうしよう、作戦が崩壊している……。

今度は私に化けたデキさんが私を攻撃する番だった。

「雷撃魔法「神の鉄槌《てっつい》」デース！」

夢の中とはいえ、体に衝撃が走る！

ダメージは強烈だった。　通常攻撃で満タンの体力が六割ほど持っていかれた。

とはいえ、どうにかなる次元のものだな。

ベルゼブブが今度は回復魔法をかけてくれた。

うん、しのげる、しのげる。

苦戦はしているが、確実に私に変身したあとのデキさんの体力も削っていった。

おそらく、そろそろ倒せるなというところまで来た。

問題があるとしたら、ライカがラスボスの変身以後は最大ダメージの「一撃剣」を使ってないことか。

「ライカ、最後は決めて」

優しく私はライカに声をかけた。

当然ながらライカは困った顔になる。

何か言っても言い訳になるとライカもわかっているからか、言葉がすぐには出ない。

ここは背中を押さないとね。

「ライカは自分自身と戦うことにはためらいがないよね。ずっと長い間、鍛えてるからだと思う。だからこそ、次は私と戦って勝とうとする番だよ。だって、私を師匠だと思ってるんでしょ？」

「無論です！」

これには即答だ。

なら、しなきゃいけない答えは出ているようなものだ。

「師匠をいつまでも超えようとしない弟子はダメだよ。それを超えることこそ恩返しってものじゃない？　現実なら私もまだ超えられちゃうつもりはないけど、夢の中でなら先を行ってほしいな」

そう、自分に甘えないことに慣れているライカが次に乗り越える壁は——私を倒すことなのだ。

ライカが無言で、だけど力強い瞳《ひとみ》で、一度うなずいた。

次の瞬間、ライカはデキさんにクリティカルヒットを決めていた。

９９９９というこの世界で最大のダメージが入った。

「また封印されてしまうことになりそうデース」

旧神デキアリトスデはゆっくりとその姿を虚空《こくう》に消した。

かくして、この世界の平和は守られた。

◇

そのあと、冒険中に訪れた土地を巡るというＲＰＧ的なエンディングを迎えて——

ぱっと、目が覚めた。

ごく普通の私の家での朝だ。朝日もしっかり差し込んでいる。

――本当にお疲れ様でした！　ものすごく徳が上がりましたよ！

メガーメガ神様の言葉が頭に響いた。

そりゃ、あれだけ長時間、何かをやれば伸びるものもあるんじゃなかろうか。

ダイニングに行くと、みんなにあいさつされた。

おはようではなく、おつかれさまと。

「そっか。みんな、出演してたもんね」


全体的にみんな眠そうだ。

とくにファルファとシャルシャはまだ目が閉じかけている。もしや睡眠の質が落ちているのだろうか？

「ファルファたちは、四天王だから登場が遅かったよ～」

「あれはあれでいい体験ではあった。なかなか人生で四天王をやれることはない」

学芸会みたいなものだと思えば、二人にとっても貴重な時間だったんじゃなかろうか。

そして、珍しく最後にライカがダイニングにやってきた。

長時間の出演だからほかのみんなより疲れてるのかなと思ったけど、それだけじゃないようだ。

やけに私から目をそらそうとしている。

「あの、アズサ様の……偽物を攻撃してしまって、申し訳ありません」

「その謝罪はおかしいでしょ。私は偽物じゃないし。それに、そうしなきゃクリアできないし」

私はライカの頭にぽんぽんと手を載せた。

「今度は現実でも私に勝てるように努力してね。本音を言うと、努力しなくてもいいと思うけどさ。

私自身がそんなに目標とかにこだわらないタイプだし」

もっとも、ライカは努力家だから、いつかは私に勝つこともあるだろう。

そんな日が来れば、私は本当にうれしいよ。

「はい！　こつこつとアズサ様を目指します！」

「そうだね。昨日は家族全員、変な夢のせいで疲れも取れてないかもしれないから、だらだらしようか」

その時、ドアを開けてサンドラが入ってきた。

「おはよう。みんな、眠そうだけどなんで？」

「あっ！　サンドラは出演してなかった！」

どこかにチョイ役として出てなかったかと思い直してみるけど、いなかったよな。

「出演？　何のこと？　何を言ってるか全然わからないわよ」

ロザリーが「あっ、もしかして！」とサンドラの前にやってきた。

「アタシ、昨日は夜に寝てたんだけどよ、サンドラは夜に寝てたか？」

「昨晩は休眠はしてたけど、意識はずっとあったわよ。動物で言うところの眠りとは違うもの」

「寝てないからか！」

だから、メガーメガ神様も修行プログラムに登場させられなかったのだろう。
メガーメガ神様の悪ノリはだんだん壮大になっていくなと思いました。

終わり

レッドドラゴン女学院
Red Dragon Women's Academy
スライム倒して300年、
知らないうちにレベルMAXになってました
—スピンオフ—
Morita Kisetsu
森田季節
illust. 紅緒

新生生徒会の受難《じゅなん》

Red Dragon Women's Academy

三年生に上がったからといって通学路が変わることなどないので、我《われ》はいつもながらの急傾斜の道を進んでいきます。

前のほうから、楽しそうに笑い合っているのは高学年の方たち。

新しい学年になったんだというような緊張感も不安感もその声からは伝わってきません。

なるほど。案外そんなものなのかもしれませんね。

我の中では三年生になることが一大変化でした。もちろん、寝て起きたら、いきなり知らない翼が何枚も生《は》えてくるだとか、そんな変化があるとは思っていませんよ。我そのものに関する変化はほとんどないと言っていいでしょう。

ですが、レイラ姉さんの卒業はそれなりのインパクトがあると思っていたのです。

我の姉さんは圧倒的な強者であり、長らく生徒会長として君臨《くんりん》してきました。

こういう言い方をすると、まるで独裁者か何かのようですが、外面《そとづら》はどうあれ、心の中はずぼらで面倒くさがりな姉さんが独裁なんて面倒なことをするわけがないので、実質はいいかげんなものでしたが。

むしろ、いいかげんなまま、生徒会長として続いてしまったことに問題があったのです。

女学院の秩序がまったく変わるかもしれない。

それは我だけが感じていた恐怖ではなかったはずです。

去年、生徒会室の中で流れていた、ぴりぴりした空気を我は忘れてはいません。

ですが、今のところ、女学院はあまりに普通であり、自然なようです。新一年生にとったら、慣れないことばかりで不安でしょうが、それより上の学年にとったら、よく知っている日常が続いているだけだと感じていることでしょう。

そんなことを考えていたら、後ろから気配がしたので——さっと、距離をとりました。

「なんだ、姉者《あねじゃ》、気づいていたんですのね」

そこにはヒアリスさんが立っていました。

同級生なのに、なぜか我を姉扱いしている方です。

「ぼんやりしてらっしゃるから、わたくしの肉体破壊術で肉離れさせてあげようと思ったのに」

「余計なお世話です。あと、不意打ちでそういう特殊攻撃を仕掛けるのはフェアではありませんよ」

レッドドラゴンの世界では強者は讃《たた》えられますが、それはルールに則《のっと》った戦いでの強者であって、奇襲は評価には入りません。いきなり決闘を申し込んで、それを相手が受けるなら問題はありませんが、そういう手続きがないものは無効です。

「ぼんやりしてらっしゃったことは否定しないんですね。いったい、何がありまして？　相談に乗りますけど」

これではどっちが姉役かわかりませんね。

我は率直《そっちょく》に自分の考えていたことを伝えました。

「——つまり、新学年があまりに平和で拍子抜けしてるということですね」

「うっ……。そうも、あっさりまとめられてしまうものなのですか……」

これでは我がバカみたいです。

「姉者の言葉を解釈すれば、そうにしかなりませんよ。その平和を作った張本人が何を悩んでいるんだか」

あきれたため息をつきつつ、ヒアリスさんは優雅に崖をよじ登ります。同時に登らないとスカートが見えるので我も隣を登っています。レッドドラゴンの通学路は人間の登山家が恐れて逃げ出すような険《けわ》しい道です。

「あの前生徒会長に姉者が勝利したから、女学院の秩序は維持されたんじゃないですか。あそこで姉者が大敗していたら、それは話だって変わってましたよ」

たしかに我は姉さんに卒業前に勝負を申し込み、勝利を収めました。

「あれは別に女学院を守るためだなんて意識でやったものではありませんよ。自分の姉の卒業前に一度戦いたかったというだけのことです」

「だとしても、あれを見た生徒たちは、最強の生徒会長が妹に倒されたと感じたわけです。だったら、姉者が健在であるかぎり、秩序だって揺るぎません。平和でのんびりした女学院が続くのは当然です」

通学路の崖を登りきったところで、ヒアリスさんは我の背中をバンバン叩きました。

「この平和を作ったのは、意図しないものであれ姉者ですよ。胸を張ってください！」

「本当にそこまで上手《うま》く話が進むのかなと半信半疑ではありますけどね」

あんな勝負は偶然だと思う人だっているかもしれません。

我ですらもう一度姉さんと戦って勝てる自信なんてありません。

しかも、我はいまだに三年生。四年生以上の方にとったら面白《おもしろ》くないのではないでしょうか。

「姉者は疑《うたぐ》り深いですね～。だいたい、何か問題があれば、生徒会書記の姉者のところに情報が来るはずですよ」

「それは、そうかもしれませんね」

今のところ。大問題というような報告は生徒会には来ていません。

「ですから、楽しく女学院ライフを謳歌《おうか》すればいいんですよ、姉者！」

またヒアリスさんが我の背中をバンバン叩きます。

ちょっと威力が強すぎて痛かったですが、眠気と迷いは覚めました。

◇

「不届き者による被害報告、これで五件目です」

生徒会長の茜光《せんこう》のセイディーさんは、思わず、机に拳《こぶし》を叩《たた》きつけました。その衝撃でティーカップが天井《てんじょう》近くまで上がりました。落下してきたところをセイディーさんがつかんだので大丈夫でしたが、危《あや》うくカップが割れるところでした。

「おやおや、会長はずいぶん気が立っていますこと。とても優雅とは言えませんわね」

ウェーブのかかった髪が特徴的な凄狼《せいろう》のエティグラさんは、セイディーさんのほうを一瞥《いちべつ》もせずに言いました。何が起きたか、感覚だけですべてわかるようです。エティグラさんは庶務担当です。

ここは生徒会室。

一般の生徒たちは怖がって近づくこともしない特別な空間です。

「気だって立ちます。従来はこんな事件は起きていなかったんです。つまり、今の生徒会が生徒たちを抑え込めてないという、いい証拠ですから！」

また、セイディーさんが机に拳を叩きつけようとしたので、龍速《りゅうそく》のリクキューエンさんが瞬時に動いて、ティーカップを回収しました。この方は相手が呼吸さえすれば、その隙《すき》をついて先に仕掛けることができます。

役職は副書記なので、書記の我の部下に当たります。はっきり言って上級生が部下というのは猛烈にやりづらいので厄介《やっかい》です。

「会長、はっきり申しますが、羽目を外したがる人はいつだっています。そういう連中はきっかけがあれば、それでいいんです。会長の能力のせいではありません」

リクキューエンさんがそうなだめましたが、表情が冷たいので、どこか皮肉のようにも見えます。

そんな時ぐらい、笑って言ってほしいものです。

「だからって新学年になって早々、こんな問題を起こさなくてもいいじゃないですか。腹立たしいです！」

セイディーさんが怒っている理由もよくわかります。

つまり秩序なんて保《たも》たれてなかったということなのです……。

やっぱり、姉さんが卒業して、女学院は新時代に突入したのではないでしょうか？

もっとも、セイディーさんがやけにイライラしている理由はそれだけではありませんでした。

「五件目にして、犯人が女学院の生徒だということがわかりました。六年生のグループです。私と同学年の連中です……。私への当てつけですか？　しかも、よりにもよって、学外でトラブルを起こすだなんて……」

「なるほど。例の事件がついに生徒によるものだとわかってしまったんですね。自分のプライドが傷つけられていると感じるわ、さらに女学院の外での問題だから女学院としても恥《は》ずかしいわで、怒髪天《どはつてん》を衝《つ》く有様《ありさま》ということですか」

リクキューエンさんがわかりやすくまとめてくれました。

あわわわわ……。問題が上がってこなかったのは、女学院の生徒が絡《から》んでるのかわかってなかったからというだけのことだったんですね……。

そして、それが明るみになった時点で、全然秩序など保ててなかったことも発覚したということです。

「そういうことです。認めたくはないですが……」

セイディーさんはがっくりうなだれて言いました。

「セイディー会長、ですが、被害者もすべて女学院の生徒です。学外の一般ドラゴンに迷惑をかけてはいないだけ、マシだと考えましょう」

「リクキューエンさん、それはいいようにとりすぎです……。つまり、六年生による違法な乱闘が繰り返されているということです。最高学年という自覚が何もない……」

近頃《ちかごろ》のセイディーさんはいつも悩んでいるように見えます。

東の副会長だった頃は活発に動いていたのに、会長に就任してからはその責任と折り合いをつけるのに苦労しているように見えます。それだけ会長の重圧が大きいのでしょう。

いえ、レイラの次の会長ということへの重圧と言うべきでしょうか。

我の姉レイラは入学後一か月で影の生徒会長と呼ばれるまでになり、さらにその後の生徒会長選挙で本当に一年生で生徒会長になってしまった生きた伝説なのです。

そんなものと比べられたいわけがないでしょう。我だってごめんです。

そして、比べるなと言われたって、比べてしまう……。

セイディーさんにとって、これは呪《のろ》いなのです。

「まっ、おいたが過ぎるようなら、しつければいいだけの話ではありませんか。むしろ、女学院の生徒ならしつけがしやすくてちょうどいいですわよ」

凄狼《せいろう》のエティグラさんは、黙々《もくもく》と宿題らしき問題をノートに書き込みながら言いました。

「幸い、今日もその方たちは出没しますわよ。ロッコー火山北部に今から三十分ほど後に」

どうして、そんなことわかるのかという話ですが、彼女いわく感覚でわかってしまうのだそうです。

戦闘中の殺気ならともかく、三十分後のことまでどうやってわかるのか謎《なぞ》ですが……生徒会の役員ならそれぐらいできる方がいても、そこまでおかしくはないでしょう。

「せやなあ。グループの人数も、全員の素性もわかってるんや。生徒会として指導に行くならちょうどええんと違います？　賛成やわ」

会計を担当している桐柱《とうちゅう》のトキネンさんも同調しました。髪の毛がレッドドラゴンの中では珍しく、少し黒っぽいのでよく目立ちます。

ただし、トキネンさんは本心では反対の時でも賛成していることが多いのです。ですから、この一票は少し怪しい一票です。我とは真逆の性格かもしれません。

それでも一票増えたことは事実。

「会計のトキネンさんも賛成で一票増えましたわね。ということですが、いかがいたし――」

「やりましょう！」

エティグラさんが言い終わる前に、我は思わず立ち上がって叫《さけ》んでいました。

「風紀を乱して平気でいる存在には、それが愚《おろ》かなことと教えねばなりません！　まして、ドラゴンがふざけると大きな災害になるおそれもあります！　力の濫用《らんよう》は許容できません！」

当たり前ですが、全員の視線が我に集中していて……恥ずかしかったです。じわじわ恥ずかしくなってきました……。

「生徒会長に言ったつもりだったのですが、書記がそこまでやる気なんだったら、決まりですわね。わたくし、庶務のエティグラは出陣いたしますわ」

「副書記の私も同じく。今日中に片がつくなら悩むより動いたほうが早いわ。あと、上司が行くと言ってるし」

「だから、リクキューエンさんは我を上司と呼ぶのはやめてください！」

エティグラさんがノートをカバンにしまい、続いて賛成したリクキューエンさんも書類を棚になおしていました。こういう動きには皆さん、一切無駄《いっさいむだ》がありません。

会長のセイディーさんもため息をついて言いました。

「わかりました。殲滅《せんめつ》します！　不届き者は五人。こちらも五人で向かいます。残りの方は生徒会業務をお願いいたします！」

◇

出没場所は凄狼《せいろう》のエティグラさんいわく、わかっているとのことでしたので、我たちはドラゴンにならずに人の姿のままで現場まで向かいました。

ドラゴンの姿は目立ちすぎます。こちらに気づいて、相手が出てこなかったら意味がありません。

「ところで、肝心の不届き者が行っている罪とは何なのでしょうか？」

移動中、我は会長のセイディーさんに尋ねました。

「行けばわかります。それと、ライカさん、あなたがおとりになってください」

「……はっ？」

説明してもらえないだけでなく、おとり役までやらされるんですか？

なんか、扱いが悪いような……。

「はまり役ですね。上司はあの前会長の妹。調子に乗っている者たちなら、必ず手を出してくるでしょう」

副書記のリクキューエンさんがそう言いました。

どうでもいいですが、上司って言い方をやめてほしいのに、やめてくれません。

「そ、そういうものでしょうか……？　別に自慢の意味はないですが、我は姉に一度勝利しました。卑怯《ひきょう》な行為をするような者なら、我を警戒してやりすごすのでは……？」

リクキューエンさんの指摘は的を射ていることが多いですが、今回は危うい気がしました。我がおとりになって、それで作戦が失敗したのでは困ります。そういう意味では生徒会役員がおとりをやる時点で五十歩百歩かもしれませんが……。

「ええ、卑怯な奴《やつ》らでしょうね。だから、一対一ではなく、多人数で有名なあなたと戦えるならやろうとするわ。今回なら一対五ね」

「そういうことですか。多人数で囲んでしまえるなら、ちょうどいいということですね。どこまでもずる賢いですが……」

「女学院の近くでそんなことをすれば発覚のリスクが高くなる。名前を上げるどころか、恥さらしと言われかねないわ。でも、女学院から離れたところならその点も安心でしょ」

聞けば聞くほどどうしようもない相手のようです。

ですが、愚か者はいつの時代も存在します。とくにドラゴンはほかの動物と比べると強大な力を持っていますから、その力に溺《おぼ》れてしまうということもあるのでしょう。

「ライカさん、所定の位置に来たら、ドラゴンの姿になって、ほどほどの速度で空を飛んでください。そのうち、不届き者がやってくると思うので。そしたら、私たちが援護します」

会長のセイディーさんがそのように我に指示を出します。

「わかりました。抜かりなくやります！」


我はドラゴンの姿で、空をゆっくりと飛びはじめました。

あまり遠くまでいくと、地上の皆さんが捕捉できないでしょうし、ある程度先まで進んではまた戻るといったことを繰り返します。

まだ飛びはじめてから数分といった時でした。

我の周囲にドラゴンたちがやってきます。

しかも、わざと我にぶつかりそうなところを飛んできます！

「ねえねえ、そんなにゆっくり飛んでちゃ面白くないでしょ？」「ほら、速く進まないと追突しちゃうわよ」「前もふさいじゃうけどね！」「まだ若いし、女学院の生徒ね。なら、容赦しないわ！」

そんなことを口々に言われました。

もしや、これはあおり飛行！


空を飛んでいるほかのドラゴンをいじめる手法の一つです。

いじめなだけでも言語道断なのですが、ドラゴンの飛行のなかでも危険を伴う、絶対にやってはいけない飛行です！

これが不届き者がやったことですか！　こんなふうに一人で帰宅しようとしている生徒を狙《ねら》ったのでしょう！

「あなたたち、恥を知りなさい！　ドラゴン同士でならぶつかっても軽傷で済むかもしれませんが、もし人の村落に墜落でもしたらどうするんですか！」

「知らないわよ、そんなの」「六年生になったんだから、これぐらい遊ばせろってこと」「それと、あんた、前の会長の妹でしょ。ちょっと顔貸しなよ」

最悪の方たちです……。これは厳しく罰しなければなりませんね……。

彼女たちはとにかく、こっちのスレスレに寄ってきたり、斜《なな》め横からいきなり前に出てきたりしました。後ろもふさがれているので離脱もできません。

あまりに典型的なあおり飛行です。

「気を抜くんじゃないわよ。追突したら、そのへんに落下しちゃうかもよ」「地面を歩いてる奴らに迷惑かけたくないでしょ？」「前の会長の時から息苦しかったのよ。あんたが責任取りなさい」

飛行中、我はずっと聞きたくもない言葉をかけられました。

「なんと愚かな……。少しぐらいは上級生として尊敬できるところを見せてください！」

もっとも、そんなことを言って聞いてくれるわけがないのはわかっていましたが。しかし、あおり飛行は一度されるとなかなかイライラしますね……。もし、我一人なら全力で炎を吐いて前方を攻撃したかもしれません……。

我慢《がまん》できたのは、我がチームの一員として動いていたからでしょう。

さて、そろそろですかね。

「げっ！　いったい何者？」「ちょっと！　危ないじゃない！」「下からの突き上げはバランス崩すんだって！」

不届き者の困惑した声が立て続けに我の耳にも届きました。

地上からほかのドラゴンたちが次々に飛び出して、こちらに向かっているのがはっきりと目に入りました。

生徒会の皆さんが助っ人《すけっと》にやってきてくれました！

皆さんはあおって飛び続けるだなんて、時間のかかることはしません。

すぐに攻撃にかかります。

後ろからあおり飛行グループの尻尾《しっぽ》をつかんだり、安全な場所で上からのしかかって、地面に落とそうとしたりしました。

「なんなの！　もう、やめてよ！」『飛びづらくなる！」

あおり飛行をするような連中は自分が攻撃を仕掛けられることには弱いらしく、飛ぶのを諦《あきら》めて、よろよろと人気のない土地に着陸していきます。

少なくとも、あおり飛行を強制的にやめさせることだけはできましたね。


結局、一分ほどの間にあおり飛行グループはロッコー火山北側の斜面に降り立って、人の姿になっていました。地上でドラゴンの姿でいるのは邪魔なのです。

「せっかく新六年生になったのに、すぐに妨害してくる！」「いったい、誰《だれ》だよ！　あっ……生徒会の奴ら……」『もう、バレてたのか……」

我たちのほうも人の姿になっていますから、もう、不届き者たちもこちらの意図を察したことでしょう。

生徒会長のセイディーさんが我たちを代表して前に出ました。

「あなたたち、六年の落ちこぼれの集団ですね。本当に恥ずかしいので、こんなことは二度としないでください」

「うっさい！　会長職を譲ってもらって、会長になっただけのくせに！」「そうよ！　なんで会長面《づら》してるのよ!!」『とっとと引退しろ！」

あっ、一番言ってはいけないことを言っています……。

セイディーさんは引きつった笑みを浮かべて、

「へえ、面白いことを言ってくれますねえ……」

と言いました。本当に腹が立つと笑うしかなくなると言いますが、それに当たるような気がします。

それから、セイディーさんは地面を、
どんっっっっっっ！

と踏みつけました。

思わず、体がふわっと浮き上がりました。

それぐらい、地面が揺れた気がしました。

「皆さん、潰《つぶ》してください。ちょうど敵と来ている役員とで人数が同じみたいですから、お一人で一体ずつ潰してください。一人一殺……いや、殺してはダメなので一人一潰《いっかい》でお願いします」

そう、セイディーさんは自分のたかぶった気持ちをなだめるように言いました。

つまり、武力行使をしてよいということです。

「生徒会の役員としての力を見せつけてあげてください。格の違いを教えるしか解決策はないみたいですから」

セイディーさんの言葉を聞いて、不届き者たちも鼻白むことになったようです。

「おい、セイディー、何をふざけたこと――」

何かしゃべろうとしたその不届き者の言葉はそこで途切れました。

もう、リクキューエンさんが「背後」から首に強烈な手刀を打ち込んでいたからです。

「じゃあ、私の仕事はこれで終わりということで。皆さんのほうも終わったら教えてくださいね」

リクキューエンさんにこれだけの猶予を与えたら、後ろに回り込むぐらいわけはないでしょう。手刀で意識が飛んだ不届き者がその場に前のめりに倒れ込みます。

最初の一人はこれで片付きました。

リクキューエンさんの動きについてこようというのは無理な話です。ドラゴンが出せる最高レベルの速度で動けるがゆえに「龍速のリクキューエン」と呼ばれているのですから。


残りの不届き者たちも緊急事態にようやく気づいたようで、すぐに散開しました。

「ヤバいですよ！　生徒会は！」「もう遅いって！　返《かえ》り討《う》ちにするのよ！」「そうだ！　こっちだってドラゴンなんだから！」

一箇所に固まっていれば敵によっては全滅のおそれがあるからで、その動き自体は正しいものです。

もっとも、セイディーさんは「一人一潰」と変な造語で言ったぐらいなので、離れてくれたほうがやりやすいのですが。

「それじゃ、わたくしは――あなたにいたしますわ」

凄狼《せいろう》のエティグラさんは不届き者の一人を指差しました。もっとも、指差したくせに、視線は何もない空のほうに向けられています。おそらく、全然違うことを考えているんでしょう。

この方は人の目を見て、会話をしません。

人の目を見ないのは多少失礼な気もしますが、彼女には見る意味がないのです。我々が目や顔を見るのは相手を観察し、理解しようとするから。

でも、彼女はそんなことせずとも、理解《わか》ってしまう。

「先にお伝えしておきましょう。七秒後にあなたは倒れます」

不気味《ぶきみ》な悪魔の宣告のようなものを受けて、敵もぞっとしたことでしょう。

「ふ、ふざけるな！　これでもアタシたちも六年生なんだから！」

不届き者は怒りに任せて突っかかってきます。それに対して、エティグラさんはすたすたと前を向いたまま、斜め後ろに歩き出しました。

もちろん、敵は猛然と襲いかかります。

ですが、ギリギリのところで敵の拳や脚《あし》が空振りに終わります。

「ちっ！　惜しい！　絶対にノックアウトしてやる！」

別に惜しくはないのですが、そう見えても仕方ありませんね。

エティグラさんはどう動けば回避できるのか、すべてわかっているのです。

その感覚は森のはるか先で何が動いたかを察知できるという狼よりも優れている——そう言われています。

だから、凄絶《せいぜつ》なる狼という意味で「凄狼《せいろう》のエティグラ」などと呼ばれているのです。

エティグラさんにまったく気負ったところがないので、たしかに周囲から見れば運よく、敵の攻撃が外れたようにも見えます。

ちょっとでもエティグラさんが体を斜めに傾ければ、さっきまでいたはずのところに必ず敵の拳や脚が飛んでくるのですから。

でも、これはエティグラさんからすれば、戦闘の前から知りえていた事実でしかないそうです。

それじゃ、もはや予知能力ですし、何か仕掛けがあるのではと思っているのですが、いまだにその仕掛けを我は見破れていません。

ようやくエティグラさんがスカートをはためかせて、右足を高々と振り上げました。

その右足に突っ込んできた敵の顔が直撃しました。

まるで、右足に磁石がついていて、敵の顔のほうから近づいてきたようにすら感じました。

「ぶっ……ふぁっ……」

声だか、ただの息だかわからないものを漏《も》らして、敵が崩れ落ちました。

「言ったとおり、七秒で倒れましたわね。ふあ～あ……」

エティグラさんは勝負が終わると、大きなあくびをしました。

「最初から自分がこのタイミングで勝利することまで知っているんだから、退屈でしょうがありませんわ」

エティグラさんはふところからお菓子《かし》を出してきて、口に入れていました。自分の仕事は終わったから一服ということでしょう。

「やっぱり、人生に食べること以上の楽しみはありませんわね。味覚は実際に食べるその時まで味わえないのですもの」

なんとも、エティグラさんにしか実感がわからない言葉です。食べるのが楽しみというのは我も強く同意しますけれど。とくに肉にむさぼりつく時、生きているんだと感じます。

もう、すでに全体の勝敗もついたようなものでした。実力差が違いすぎるのです。ここから何をしようとしたって不届き者側に盛り返す手段はないでしょう。そんなことは不届き者だってわかっているはずでした。

かといって、逃げられるとも思えないから、やむなくこちらに向かおうとしている、そんなところのようです。

前方では桐柱のトキネンさんが、ターゲットに選んだ一人の前で対峙《たいじ》しています。

彼女が両手で抱えるように握っているのは桐という樹木で作った巨大な剣。

ただ、構えみたいなものはなく、見た目にはリラックスしているように見えます。

「うちは会計のトキネン言います。対戦よろしゅうお願いいたします」

トキネンさんはお母さんがレッドドラゴンとは違うドラゴンだということで、そちらの訛《なま》りがあるのだそうです。髪が黒っぽいのもそのせいでしょう。

「武器を持ってるなんて卑怯よ！　対戦するって言うなら素手でやりなさいよ！」

敵は生徒会役員が武器を有してることに怯《おび》えているようです。そういえばレッドドラゴンはあまり武器を使用いたしませんね。自分の体で直接攻撃したほうが早いというのもありますが。

「ずっこい言われましても。うちはか弱いから、こうするしかないんやわ。炎を吐くのもそこまで得意やありませんしなあ。その代用や思うて堪忍《かんにん》してえな」

「炎もろくに吐けない？　なんだ、あなた、落ちこぼれなの？　こいつになら自分でも勝てるかも」

ピンチになると人は自分に都合のいいことを考えて精神を安定させようとします。この不届き者もその手合いのようです。

そして、トキネンさんに向けて、一気に炎を吐き出しました。

最高学年にふさわしく、それなりの炎ではあります。火勢も相当のもので、しかも遠距離攻撃と呼べるほど遠くまで届いている。

でも、その炎はすぐに半分に分けられていました。

トキネンさんが木の剣を前に向けて、突っ込んでいたからです。

その剣によって炎が左右に真っ二つになっているのです。

ちょうど、トキネンさんを避けようとしているみたいに。

敵が何かおかしいと思った時には、トキネンさんの剣がそのおなかを突いていました。

「うあああああっ！　止まれないぃぃぃぃぃぃぃ！！！！」

無茶苦茶な勢いで不届き者は前に飛ばされて、もう戻ってきませんでした。

どんな分厚い城門も一撃で突破できるような威力の突きを喰《く》らったのだから、しょうがないでしょう。

「悪いことしましたなあ。か弱いから護身用に破城槌《はじょうづち》を持ち歩かされてたんやわ。けど、普段からそんなん持ってたらけったいやんか。せやから剣の形にしてるんですわ」

トキネンさんは剣を鞘《さや》――というより筒にしまいました。

あの剣は斬《き》るためのものでも殴るためのものでもなく、破壊するためのものなのです。

突き飛ばしたのもトキネンさんなりの慈悲というものなのでしょう。もし、膝《ひざ》を突かれでもしたら、ドラゴンといえど、周囲の骨がすべて粉々《こなごな》になってしまったはずです。

「なんや、生徒会選挙で会計かけて戦った時より楽やわ。あの時よりは力の加減が上手になってるから、そんなに骨も折れてないと思うわ。多少は折れてると思うけど、堪忍な」

トキネンさんは自分が戦った敵のほうを眺めて、はんなりと笑いました。


さてと、次は我の番でしょうか。

もっとも、すでに敵の方の戦意は残ってないようですが。

「そんな……なんでよりにもよってあの最強の生徒会長を負かした奴が相手なのよ……」

この場合の生徒会長とは、前生徒会長の姉さんのことです。

姉さんの不在は我が危惧《きぐ》していたように深刻なのだなと思いました。

やっぱり大半の生徒にとって生徒会長というと、レイラという存在を思い浮かべてしまうのです。

我ですら会長という言葉に姉さんが紐《ひも》づけられているので、今の会長を「セイディーさん」と呼んでいるぐらいです。

それに、セイディーさんも会長という言葉を聞くのすらあまり好んでないほどですし。

過去と比べられたくない。

けれど、会長という言葉を聞いて頭に出てくるのはレイラだという事実は消せない。

そんなところなのでしょう。

その呪縛《じゅばく》から解放されるにはまだかなりの時間が必要でしょうし、そうならないうちは、こういったくだらない輩《やから》が出てくることもあるはずです。

セイディーさん自身が自分こそが会長だと胸を張れないようでは、ほかの方が生徒会は会長さえしっかりしてない弱い組織になったと思うのも無理はないからです。そうなると、セイディーさんは余計に自信を喪失するので、これは悪循環ですね……。

けれど、どうしようもない課題ではありません。

新しい生徒会で、それも乗り越えていくことができるはずです。

我もその手助けならできる。

「残念ですが、あなたたちはあおり飛行をした時から負けていたのです。本当に自分の力を信じている者はあんなことはしません。する必要もありません。自分は劣等感のかたまりですと主張しているようで、あおられた側としては、腹立たしいと思う前に、悲しいです。あなたとは戦う価値すらありません」

我は不届き者にそう告げました。

「じゃ、じゃあ……許してくれるの……？」

助かると思った不届き者の表情がわずかにゆるみました。

「いいえ、違います！　価値がなかろうとも、戦うのが生徒会書記の役目！　我の拳であなたの弱い心を改めてみせます！　さあ、かかってきなさい！」

残念ですが、自分が無力だということを身をもって知ってください！

成長は自分を知るところからしか始まらないのですから！

「くそーっ！　一矢報《いっし》いてやるわ！」

不届き者はいきなりドラゴンの姿になり――

その巨体でこちらを叩きに来ました。

「なかなかいい心がけじゃないですか！」

我も人の姿のまま、思いきり飛びかかって――

ドラゴンとなった不届き者の顔に右ストレートをぶつけました。

愚直な、わかりやすすぎる一撃。

これが我が姉さんと戦って得たものです。

小細工など不要。それに我はそういったものは向いてないのです。

正面からぶつかって、我のほうが強ければ我が勝ち、相手のほうが強ければ相手が勝つ。それでいいではありませんか。

「なんて、威力なの………」

不届き者のドラゴンはゆっくりと、大地に倒れていきました。

「お手合わせありがとうございました」

私は体の前で手を合わせて、軽く一礼しました。

さあ、残る敵は一人だけ。

その一人は会長のセイディーさんとにらみ合っています。

「セイディー、あなたなんて生徒会長の格じゃないのよ。いいや、生徒会にだってふさわしくないわ。よくて副会長というところだったのに、それを会長までやるだなんて分不相応なのよ」

敵は饒舌《じょうぜつ》にまくしたてます。元々、セイディーさんが気に入らなかったようです。

「だから、あなたたちになんて従《したが》わない！　アタシらは自由にやるから！　前の会長の時はいい子にしてたけど、今は違う！」

「そうですね。あなた方のような者を出してしまったこと自体、生徒会長として不徳のいたすところです。だから、あなたを倒してけじめとしましょう」

セイディーさんの言葉は冷静ですが、目は据わっていました。

何があろうと絶対に許さないと顔に書いてあります。

誰にだって乗り越えないといけないものがあります。

これはセイディーさんにしかできないことなのです。

「だから、あなた方のような連中一人ずつに、私が生徒会長としてふさわしいということを証明していきます。さあ、目を見開きなさい！」

「ふざけるんじゃないわよ！　焼き尽くしてやる！」

不届き者は全力で口から炎を吐いてセイディーさんを狙いました。それは紅蓮《ぐれん》の炎《ほのお》と呼んでいいものでした。決して弱々しいものではありません。不届き者は不届き者で、何かと格闘してきて、その力を得たはずなのです。

だからこそ、今、道を誤っていることが悲しい。

そして、それを糺《ただ》すのに同じ最高学年のセイディーさんほど適任の方はいないのです。

セイディーさんが口を開きます。


そこから出てきたのは、炎ではなく――光線！

茜色《あかねいろ》をした炎熱の光線が、不届き者の炎を呑《の》み込《こ》んで、そのまま不届き者まで一緒に呑み込んでいくっ！

「うわあああああああああっ！　レッドドラゴンなのに熱く感じるなんてぇぇぇ！」

不届き者の悲鳴も掻《か》き消《き》えそうな轟音《ごうおん》！　我の真横をドラゴンが通過したような響きが鼓膜をふるわせます。

やがて光線はやみ、不届き者は湯気を立てながら地面に倒れました。

そう、ファイアブレスをとことんまで追求したセイディーさんだけが使えるのが、この光線なのです。

まさに「茜光のセイディー」の名前に恥じない威力！

「お疲れ様でした。お見事な戦いでした」

我がほかの皆さんを代表して、セイディーさんをねぎらいました。

「褒《ほ》められるところは何もないです。さっき自分でも言いました。これは私の不徳が招いた戦い。だから――」

セイディーさんは拳を固めました。

「――侮る奴はすべて打倒して、泥《どろ》をぬぐってみせます！」

「はい！　我もお手伝いいたします！　いえ、今回のことも最初から生徒会すべての責任なのですから、手伝うというのはおかしいですね」

現在の生徒会が軽んじられているがゆえに、タガがゆるんでいるとしたら、我に咎《とが》がないというほうがおかしな話です。

「そうね、上司の言うとおりよ。全員で解消しないと」

さっとリクキューエンさんが横に出てきました。

それから、トキネンさんも微笑《ほほえ》みながらやってきます。

「生徒会の留守を預かってくれてたみんなにも報告に行かなあかんなあ」

エティグラさんはもう帰るつもりのようで、顔は女学院の方角に向けられていました。

私たちはそんな皆さんを眺めて、こう思いました。

姉さんの作った秩序が一度壊れてしまったとしても、我たちなら再び平和を取り戻せると。

我も一層、精進しますよ！

新たな生徒会を作ってみせます！

――などと気合いを入れていたのですが、

「ところで、ライカさんも何かしら二つ名のようなものがほしいですわね」

というエティグラさんの言葉で水を差されました。

「えっ……？　どうしてそういう話になるんですか……？」

まさか、我の話題が出てくるとは思いませんでした。

「そうやわ。一人だけ二つ名がないのもおかしいやん。この機会に何か考えたらどない？」

トキネンさんも乗り気のようです。ただ、この方の場合、あんまりよく思ってなくても、賛成しているような言い方をする時があるので、本気でそう考えているかわかりづらいのですけど。

「ですが、我に特殊能力のようなものはないですし……」

「それじゃ、上司はよく『愚直に』と言ってるから、『愚直のライカ』はどうかしら？」

リクキューエンさんが最悪の提案をしました。

「嫌です！　馬鹿《ばか》正直なことしかできないみたいではないですか！」

「それはまさしくあなたの個性であり、いいところじゃない」

「だとしても、響きが悪いです！」

もう、二つ名みたいなものは廃止できないですかね……。

終わり

あとがき

お久しぶりです、森田季節《もりたきせつ》です。

「スライム倒して300年」、アニメ化です！

第一話はこの本が発売する直前の四月十日に放映されました！（なお、過去形で書いてますが、このあとがきを書いてる時点ではもちろんまだ放映してないので、自分は早く見たい！）

多分、この本を読んでくださってる方にとっては、当然ながら本当に初期の初期の内容をアニメでやっているかと思います。「当時はこうだったな～」などと思いながら、楽しんでもらえればけっこうです。


お知らせすることが多いので、立て続けにいきます！

まずはアニメ関係でこれまでになかった宣伝！

アズサ役の悠木碧《ゆうきあおい》さんが歌うアニメOP、『ぐだふわエブリデー』がすでに発売中です！　とにかく楽しくて楽しくて楽しい曲なので、ぜひ購入してフルで聴いてみてください！

また、あとがき時点では発売日程が発表されてないですが、フラットルテ役の和氣《わき》あず未《み》さんが歌うED、『Ｖｉｅｗｔｉｆｕｌ　Ｄａｙｓ！』も目茶苦茶素敵な曲となっております。こちらもどうぞよろしくお願いします！

その他、アニメ放映と連動して、いろんな企画の発表などもあるかと思います。小説のあとがきではリアルタイムに情報の発信をすることは限界があるので、ぜひ、「スライム倒して300年」の公式ツイッターをチェックしてください！


コミカライズではシバユウスケ先生による八巻が三月に発売しました！　また、コミカライズの大重版も行われました。最初、数字を聞いた時に僕もびっくりしました。やっぱり漫画の広がりというのはすごいんだな……と実感しました！

そして、スピンオフ作品の「レッドドラゴン女学院」のコミカライズが、同じく三月よりスタートしました！　漫画は羊箱《ひつじばこ》先生です！

お待たせしました！　ついに始動です！　よろしくお願いいたします！

それと、今回の巻のおまけとして、「レッドドラゴン女学院」の七話も収録しております！

長らく、巻末に本編とは違う何かを収録してきてしまったので、何もないのもしっくりこないので新規で書きました！

また、スピンオフといえば、ベルゼブブが主役の第一弾スピンオフ「ヒラ役人やって1500年」の、村上《むらかみ》メイシ先生によるコミカライズ全三巻も発売中です！　こちらも、なにとぞよろしくお願いいたします！

最後に「スライム倒して300年」とは関係ない宣伝も。僕が数年前にGA文庫で刊行していた「きれいな黒髪の高階《たかしな》さん(無職)と付き合うことになった」のコミカライズがガンガンGAなどでスタートしました！　漫画は、作画：たかちひろなり先生、構成：おはら誠《まこと》先生のタッグです！

なんで今頃になって漫画になるのだと感じた方、正しいです！　お話をいただいた時、僕も「なんで今頃になって……？　いわゆる異世界系でもないし……」と思いました。それはそれとして、大変うれしいです！

また、ガンガンGAなどで連載中のその他のコミカライズ、「織田信長《おだのぶなが》という謎の職業」も好評連載中です！　こちらも西梨玖《にしりく》先生に素敵な漫画を描いていただいております！　どうぞよろしくお願いします！

またお礼を言わないといけない人がたくさんいます。

今回も素晴らしいイラストを担当してくださった紅緒《べにお》先生、本当にありがとうございます。これまでもスピンオフの挿絵で女子高生リアルタイム時代の黒髪のアズサは描いていただいていたのですが、今回の特装版の表紙で高原の魔女の状態で制服を着ているバージョンも増えて、楽しいです！　そういえばライカも「レッドドラゴン女学院」のほうで制服着てるし、なんだかんだでこのシリーズ、制服を着てますね。

そして、アニメに関わってくださっている方々、本当にありがとうございます！　よくライトノベルにおける節目の一つとしてアニメ化が言われることは知っていましたが、その意味がよくわかりました。

ライトノベルって本来、制作段階で携わる人の数って少ないんですよね。百人のスタッフで作りましたなんてものだと「定価が一冊一万五千円です！」みたいなことになって、売り物になりません。なので、とんでもない数の人が制作に関わるアニメを見ていて、ただ、ただ、驚いております。

もっとも、アニメに関しては原作者の僕は、制作側ではなくて、あくまでも原作を提供してる人でしかないので、一視聴者の視点でアニメを楽しみたいと思っております。

最後に、ここまで「スライム倒して３００年」を応援してくださった読者の皆様に本当にありがとうと言いたいです。

一巻を出した時、ここまで続くと思っていた人間は地球上に誰もいませんでした。作者も想定していませんでした。それがこんなに長く続くことになったのは読者の方が支えてくださったからです。元気玉みたいに、いろんな人の力ですごい奇跡が起きた、僕はそう思っています。

高原の家の家族は今後もゆるく楽しく暮らしていきますので、原作もこれからも楽しんでいただければ幸いです！

森田季節

GAノベル

スライム倒して300年、知らないうちにレベルMAXになってました16

2021年4月30日　初版第一刷発行
2021年5月27日　第二刷発行

著者　森田季節

発行人　小川 淳

発行所　SBクリエイティブ株式会社
〒106-0032　東京都港区六本木2-4-5
03-5549-1201　03-5549-1167（編集）

装丁　AFTERGLOW

印刷・製本　中央精版印刷株式会社

ISBN978-4-8156-0708-1
Printed in Japan

ファンレター、作品のご感想をお待ちしております。

〒106-0032　東京都港区六本木 2-4-5
SBクリエイティブ株式会社
GA文庫編集部 気付

「森田季節先生」係
「紅緒先生」係

本書に関するご意見・ご感想は
下のQRコードよりお寄せください。
※アクセスの際に発生する通信費等はご負担ください。

https://ga.sbcr.jp/